Ⓢ新潮新書

竹内一郎
TAKEUCHI Ichiro

人は見た目が9割

137

新潮社

人は見た目が9割◆目次

はじめに

私は「さいふうめい」のペンネームで、劇作、マンガ原作を仕事としている。また、舞台の演出や俳優教育を長年やってきている。

自分が書いた同じ戯曲でも、俳優や演出の違いで、天と地ほど水準が異なることがある。同じマンガ原作が、マンガ家の力量により、名作にも駄作にも変わる。

その開きに唖然とするのである。舞台・マンガともに、私が書いた言葉を〈台本〉にしているのだから、伝えたい内容は変わらない。だが、演出家やマンガ家の力量次第で、〈受け手〉への伝達力が全く異なったものになってしまうのである。

最近では、活字の本よりマンガの方が圧倒的に売れている。その理由は様々だが、私見では「文字だけ」より「文字と絵の組み合わせ」の方が、受け手に理解されやすいからだ。伝達力が高いと言ってもよい。

この現象は、こう言い換えることができるだろう。「バーバル・コミュニケーション（言葉による伝達）」より、「ノンバーバル・コミュニケーション（言葉以外の伝達）」の方が、伝達力が高いのだ、と。

実際、交渉ごとなどで、初対面の相手であっても、見た瞬間に「この案件は上手《うま》くいくな」「これは駄目かも」など、直感的に分かることが多い。挨拶をして名刺交換をした頃には結果が見えている、ということも珍しくない。

第1話で詳述するが、心理学では、実は人間が伝達する情報の中で話す言葉の内容そのものが占める比率は、七％に過ぎない、という研究結果が出ている。

我々は言葉では、七％の情報しか、受け取っていないのである。

男が美人に、女が二枚目の男に一目惚れをする。相手の性格やその他の要素は一切関係ない恋は存在する。恋のただ中にいる人間にとっては、白も黒になるのである。正邪の判断が狂うことも珍しくはない。

端的にいって「外見の威力」はそれほどまでに強力なのである。

日常生活でいえば、しゃべる内容以前に、声やテンポなど「話のフィーリング」ともいうべき部分が、合っているかどうかも大きい。

たとえば声。通販会社「ジャパネットたかた」の社長の声を解析すると、人を惹きつける要素が多く含まれているという。商品知識や流暢な弁舌なら高田社長より優れている人は多い。高田社長はちょっと訛りが残っているし、いわゆる「いい声」でもない。しかし、彼の声は伝達する内容にマッチしている。だから効果的なのだ。

たとえばまばたき。アメリカ大統領選挙の公開討論では、「まばたきが多いほうが、討論後の勝敗の印象を尋ねる世論調査では負ける」という法則がある。二〇〇四年のアメリカ大統領選挙を例に見てみよう。ブッシュ大統領とケリー候補の公開討論会。第一回目では、ブッシュはやたらとまばたきが多かった。議論の中身もさることながら、このせいで彼はケリーに水をあけられた。当然、参謀が入れ知恵したのだろう。二回目以降はまばたきが減った。その後は初回ほどの差はつかなかった。まばたきが全てとはいわないが、大きく影響しているだろうことは、間違いない。

たとえば「場の支配力」。深夜の討論番組を観る。言葉の中身だけが重要ならば、討論番組なのだから、本来、より客観性の高い主張を、より論理的に語る人物が、場を制するはずである。ところが、そうはならない。つまり、言語（論理）より、それ以外の要素の方が強いのである。

討論番組で、一番駄目なのが、坊ちゃん顔の若手代議士である。自民党にも民主党にもいる。高学歴で、知識は豊富。主張は常識的。論理は平明。本来なら、それほど劣勢になる理由は少ないのである。ところが、討論開始後一時間も経つと、段々影が薄くなっていく。彼らは、選挙のために「市民に愛される顔」を作っているから、迫力がないのである。場の支配力に欠ける。

討論番組の代表格、『朝まで生テレビ！』で興味深い人物は、姜尚中《カンサンジユン》東京大学教授である。この人は場の支配力がある。該博な知識を背景にしているが、主張は基本的に常識的である。学者としては穏当な意見で、坊ちゃん顔の若手代議士に重なる部分も多い。

発言だけを丁寧に追ってみると、聞かれたことに答えていないことも多い。ところが、場を支配できる。何故か——。彼は、猛禽のような鋭い眼で、討論相手を見据える。低くドスの効いた声でゆっくりしゃべる。加えて、学者らしく丁寧にしゃべるから、貫禄が加わり、迫力に深みが増すのである。

本書では、こうした「言葉以外の情報」すべてをひっくるめて、「見た目」と捉えてみた。

同じ指示でも、Aさんが言えば従うが、Bさんが言っても従いたくない、ということは多い。内容より「誰が言ったか」の方が重要なのである。「伝達力」には能力や人格が問われるのである。ところが、その能力や人格は困ったことに「見た目」に表れるものなのだ。

　このように社会を強く支配し続けているのは「ノンバーバル・コミュニケーション」である。ところが、それを記したいい書物が日本にないというのが私の長年の不満であった。マジョリー・F・ヴァーガスの『非言語《ノンバーバル》コミュニケーション』（石丸正訳・新潮選書）という古典が一冊あるのみである。それも、二十年ほど前のアメリカの書物だから、今の日本の実情に即していない。名著ではあるものの、大学で教えるときには、ちょっと使いづらいという感もあった。私は、今の日本に合った「ノンバーバル・コミュニケーション」の本の必要性を感じていた。それが、本書を書いた動機である。

　日本では「コミュニケーション教育」は基本的に、国語という教科が負う部分が大きい。言語は伝達の手段だから、「言語教育」が「コミュニケーション教育」を担うのはむしろ自然ではある。

　しかし、「言語以外の伝達」にももっと目を向けるべきである。何故なら、七％より九三％の方が、大きいからである。

最近は、話し方についての入門書やカルチャー・スクールのお陰で、そつなく知的に話す人が増えてきた。ところが、顔や風体などの見栄えと、その人の口から出てくる言葉が合っていないから、かえって奇妙な感じなのである。

見栄えと言葉、我々はどちらを信じればよいのか——。マルチ商法や新興宗教などで、ぼろ儲けをした人が逮捕されて、マスコミに顔が出てくる。その人のインチキ臭さは、顔や風体に如実に表れている。だがどの事件の場合でも、弁舌がたくみだったからつい信じてしまった、と被害者はいうのである。私は言葉より見栄えの方が、よりその人の本質を表していると考えている。

私が行きつけの飲み屋の女将《おかみ》は、「お客さんがどういう人かは、一目見れば大体判りますよ」という。こういう人は言葉に騙されない。というより、たくさん騙されて、人を見る目を養ったのである。

私は、結局、鍍金《めっき》が剥がれる「話し方」を勉強するより、一生使える「見栄え」を身につけた方が得だとも思う。

そんな「ノンバーバル・コミュニケーションの力」を皆さんが少しでも知って、身に付けていただければ幸いである。

第1話　人は見た目で判断する

アクションは口よりも

舞台であれ、映画であれ、マンガであれ、物語を作るうえで最も感動的なシーンには言葉で説明するのではなく、「絵で見せる」という鉄則がある。

アーノルド・シュワルツェネッガー主演の映画『ターミネーター２』のラスト・シーンはこうだ。自分を犠牲にして、地球を守るターミネーターは、その最後、親指を立てて親友に別れを告げる。ここで、「グッド・ラック」や「俺たちは通じ合えたんだ」という台詞を入れれば、感動はいっぺんに薄れる。何も言わずに、「絵」だけが印象に残るから名場面となる。

ロビン・ウィリアムズ主演の映画『今を生きる』のラスト・シーン。学校の古い体質に抵抗するが、結局学校から追放される新米教師。彼が学校を追われる日、教え子たちは、何も言うことなく、机の上に立つ。「あなたを追放した学校は間違っている」「私たちはあなたの教育方針を支持する」という態度の表明である。このシーンでも、台詞があると、臭くなって観ていられない。

私が書いた『漂鳥《ひょうちょう》の儚《ゆめ》』という戯曲には、こんなシーンがある。女が愛している男を騙す。女は許しを請う。男は、女にトランプカードの束の中から、一枚引けという。スペードのA《エース》を引いたら許してやる、と。女は見事スペードのAを引く。男が去った後、残りのカードを調べると、カードは全てスペードのAだった。男は、最初から許していたのだ——。このシーンにも台詞は邪魔である。

私たちは、言葉を「伝達の手段」であると思っている。確かにそれはその通りだ。言葉を伝達以外に使うことはない。つまり、言葉は伝達するために「特別に生まれた道具」なのである。

だが、「特別に生まれた道具」だからといって、万能というわけにはいかない。

そもそも、人間以外の動物は「言葉以外の伝達手段（主にアクション）」で全てを済ませているのである。

つまり、言葉の歴史は、アクションの歴史より遥かに短いし、私のように、演劇やマンガを表現手段に使っている人間にとって、言葉はアクションよりインパクトが小さな伝達の手段に過ぎないのである。


私たちの周りでは、よく次のような光景が見られる。

待ち合わせに遅れてきた女が男にこういう。「ごめん。怒ってる？」

男は「怒った」といいながら目が笑っている。こういう場合は、怒っていない。

逆に、「怒っていない」といいながら、目が怒っている場合がある。こちらの場合は怒っている。

目は口よりも雄弁に語っている。

語るのは、目だけではない。態度も同じだ。

頬杖をついている男がいる。隣にいる女が「真面目に聞いているの？」と訊く。男は「ああ、聞いているよ」と答える。実際は聞いていない。心ここにあらずである。

こういう場面に遭遇すると、言葉はまったく当てにならない、と私たちは思う。

言葉は七%しか伝えない

私たちの周りにあふれていることば以外の膨大な情報――。それを研究しているのが、心理学の「ノンバーバル・コミュニケーション」と呼ばれる領域である。最近は、言葉よりも、言葉以外の要素の方がより多くの情報を伝達していることが分かってきた。アメリカの心理学者アルバート・マレービアン博士は人が他人から受けとる情報（感情や態度など）の割合について次のような実験結果を発表している。

○顔の表情　五五%
○声の質（高低）、大きさ、テンポ　三八%
○話す言葉の内容　七%

話す言葉の内容は七%に過ぎない。残りの九三%は、顔の表情や声の質だというのである。実際には、身だしなみや仕草も大きく影響するだろう。

ついついコミュニケーションの「主役」は言葉だと思われがちだが、それは大間違いである。演劇やマンガを主戦場としている私は、人は能力や性格もひっくるめて「見た目が九割」といっても差し支えないのではないかと考えている。

にもかかわらず、学校教育では「言葉」だけが、「伝達」の手段として教えられる。だから七％を「全体」と勘違いしている人が生まれる。たとえば、「本をたくさん読む人」が「たくさん勉強している人」という錯覚が生まれる。「本をたくさん読む人」が必ずしも「情報をたくさん摂取している人」ではないのである。

私たちは「本をたくさん読む人」の中に、人望もなく、仕事もできず、社会の仕組みが全く理解できていないと思える人がたくさんいることを知っている。

七％の情報の中で生きている、あるいは、自分が重視していない九三％と、自分が愛する七％との関連付けが行われないまま、「世渡り」をしているとおぼしき人である。

そういう人と接すると「言葉が地に着いていない」あるいは「言葉が宙に浮いている」と感じる。表現を変えれば、確かに理屈は正しいのだが、理屈しか正しくない人たち――。私たちは、そういう人の意見を聞くと、こんな反応をしたくなる。

「あなたの言うことの意味は分かるけど、あなたに言われたくない」

言葉主体の「コミュニケーション教育」の申し子たちは、七％を見て九三％を見ない

（そういう人も「木を見て森を見ず」という言葉は知っている）。

とはいいつつ、九三％がいかに大切かを説いている私も、分が悪いのを実感せざるを得ない。何しろ、書物は「言葉」で書かなければならないのだから。

教育の陥穽《かんせい》という観点から、一つ補足する。私たちは、子供の頃小学校の先生に「人を外見で判断してはいけない」と教えられた。それは「人は外見で判断するもの」だから、そういう教育が必要だったのだ。

逆にいうなら、「人を外見で判断しても、基本的には問題ない。ごくまれに、例外があるのみである」といってもよい。

信頼できる行動

動物行動学者デズモンド・モリスは、『マンウォッチング』（小学館ライブラリー）の中で、動作の信頼尺度を作っている。他人から受け取る情報のなかで、一番嘘をいわないのは何か、ということである。モリスによれば人間の動作を信頼できる順に並べると次のようになる。

①自律神経信号

②下肢信号
③体幹（胴体）信号
④見分けられない手ぶり
⑤見分けられる手のジェスチャー
⑥表情
⑦言語

自律神経信号というのは、緊張して動悸が激しくなったり、汗をかいたりすることである。これが一番信頼できる。というより、嘘がない。

ここでも最も信頼できない情報が言語であるとされている。言葉では簡単に嘘がつける。その次に嘘がつきやすいのは、表情である。つまり、顔を見ているだけでは、相手の嘘が見抜けないのである。

言葉や表情では嘘がつけても、動悸や汗では嘘がつけない。とはいっても、動悸や衣服の下の汗をチェックすることはできないから、実際にチェックできるのは②以降ということになるだろう。

②の下肢信号は、足の動きである。一般に貧乏ゆすりは緊張の表れである。また、足

先が相手の方を向いていないときは、相手に好意を示していないと考えてよい。リラックスしている時は足を組む。座敷での話し合いのとき、正座から胡坐《あぐら》に変わると、気持ちが和んでくる。

③の体幹信号は、身体の姿勢である。胸を張り過ぎている時は緊張している。胸が内に入り肩がしぼんでいる時には自信を失っている。身体が相手に対し、前のめりになっている時は興味が強い。後ろに反り返っている時は、興味が低い。姿勢は無意識だから正直だ。

④は、微妙な手の動きである。演出家は稽古中手を組んでいることが多いが、芝居が上手くいっていないと、組んだ手の中で、指が微妙に動いていたりするものだ。演出家は役者に悟られないように注意するが、勘のいい役者はそれを察する。その動きも⑤のように見分けられるくらいの大きさになると、演技に応用できるようになる。

顔の形と性格の関係

私は舞台の演出という仕事を通じて、言葉以外の要素がいかに多くを語るか実感している。台詞（戯曲）は物語の核を決める重要な要素だが、言葉以外の演技（俳優の技量）によって、舞台のレベルは天と地ほども違ってくる。

同じシェークスピアの戯曲が、演出家や俳優の腕次第で、名作にも駄作にも変わる。

演出家の仕事は、まずキャスティングをすることである。随分荒っぽいことだが、「見た目」で「どんな人」かを決定していくのである。もちろん、俳優の「顔」にはその人固有の人生が滲み出しているものだが、基本的には次のような「法則」がある（図1）。

「丸顔」の特徴：「明るい」「愛情に富んで、包容力がある」「決断力・行動力がない」「情に流され易い」「短気ではない」

「角顔」の特徴：「決断力・行動力がある」「情に流されない」「短気である」「積極的で意志が強い」「先頭に立って仕事をするタイプである」「上司に仕えて、出世するタイプではない」

「逆三角形」の特徴：「消極的だが、いざ仕事を始めると、最後までやり遂げるのは早い」「情に流されない」「学者タイプである」「物事をてきぱきと片付ける」「明るくない」「愛情に富んでいず、包容力に欠ける」「先頭に立って仕事をするタイプではない」

「横から見ると凸型」の特徴：「明るい」「短気ではない」

「横から見ると凹型」の特徴：「消極的だが、いざ仕事を始めると、最後までやり遂げ

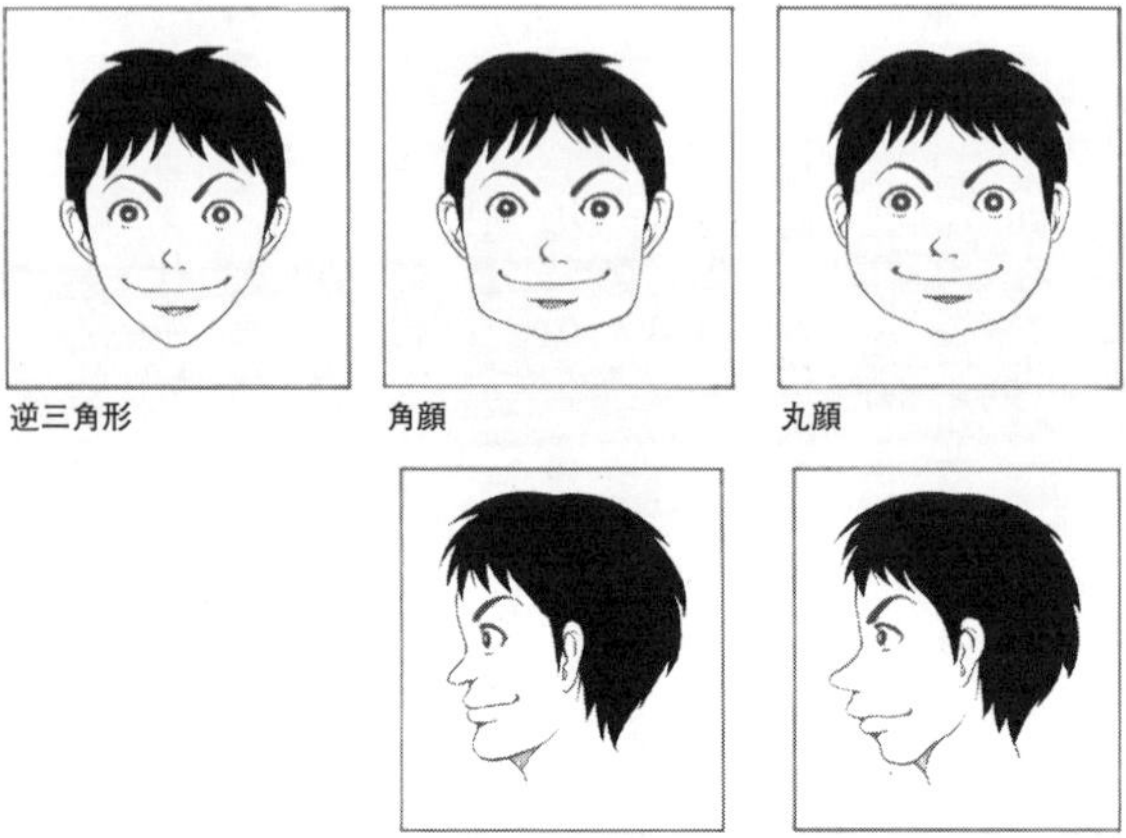

図１　輪郭で顔の印象は異なる（画・上原由香理）

るのは早い」「明るくない」「先頭に立って仕事をするタイプではない」

また、耳が大きく頬がふっくらしている人は、実業家として成功しやすそうだという情報を発していることがわかった。以上は、私が大学生を対象に調査した結果である。

我々演出家が、経験則に基づいて行っているキャスティングは、「多くの人がそういう風に見ている」という先入観に基づいている。何故そういう「先入観」を持つのか。それは「そういう人が多い」という「事実」に基づいているのである。

ここでいう「事実」は必ずしも現実生活でのことのみを指すのではない。映画やテレビでそういうキャスティングが行われているから、受け手はそういう傾向を常識、「事実」として学習していくのである。

演技に関しても、同じことが言える。人間がそうなっているから、それが演技術になってくる。逆に、テレビや映画の演技術を通じて、現代人はノンバーバル・コミュニケーションを学習していくのである。

髭はコンプレックスの表れ

キャスティングが決まると、俳優は仕事として、先ず役に合わせてキャラクターをつくることになる。俳優は自分の顔や体型に合わせて「その役の雰囲気」に似せる。演出家・俳優の人間に対する観察が問われる作業である。

男優の場合、髭は重要である。演出家は「髭」を基本的に「コンプレックスの表れ」と見る。「自分を実際よりも上に見せたい」心理は髭に表れる。髭には周囲に威圧感を与える働きがある。逆に言えば、そうした「小細工」をしないと周囲を威圧できないという意識がどこかにあるといえる。

周囲を見渡してみると、自由業の人やアーティストに髭をたくわえている人が多い。

「俺は普通のサラリーマンじゃない」という気持ちの表れである。サラリーマンで髭を生やしている人も、やはり「俺は普通のサラリーマンではない。自由な男なんだ」という気持ちを持っているのだろう。

よく安っぽいドラマで画家が髭をたくわえていることがある。どう見ても、画家に見えない俳優を画家に見せるために髭を生やす。

画家にしても、大成した場合、髭は必需品ではなくなる。顔からにじみ出てくるオーラがあるから、髭の持つ威圧感は必要なくなるのだ。

私の友人で、本来は演出家タイプではないのだが、演出家になってしまった人がいる。彼は髭をたくわえているのだが、何となく日々無理をしているなという印象がある。おそらく自分を演出家に見せなくてはならないという意識が、彼に髭をたくわえさせているのだ。

もちろん、自信を付けるきっかけとして髭を伸ばすことはいいと思う。だが、そこからずっと抜け出せないとなると問題だ。俳優の場合だと、「この俳優はそれ以上伸びないな」と周囲から見られてしまいがちなのである。私の友人も、演出家としての評価が上がれば、もしかすると髭を剃ってしまうかもしれない。

映画『レット・イット・ビー』で、ザ・ビートルズのメンバー、ポール・マッカートニーの顔は見事なまでに口髭とあご髭で覆われている。彼は本来童顔である。この当時、ビートルズは解散の危機にあった。特にポールは、他の三人のメンバーとの人間関係がうまくいっていなかったという。ポールは何とか他のメンバーを説得して、ビートルズを存続させようとしていた。どこかに他人を威圧しようという気持ちがあったのかもしれない。解散後、しばらくしてソロで成功するにつれて、彼の髭面を見る機会はなくなっていった。

日本人初のＮＢＡプレイヤーとなった田臥勇太選手も、アメリカに行ってから髭を生やしたようだ。どちらかというと童顔の彼にはあまり髭は似合わないようにも思う。が、だからこそ彼は髭を生やさなくてはいけなかったのではないか。

髭は、そもそも「威厳」の表現であった。髭の持つ「トラの威」を借る必要があるのは、その人の本性が「キツネ」だからなのである。

これは、カタカナ職業の人がよくやっているヘアスタイル、男性のポニーテールにも共通している。「それっぽく見せる」という狙いが分かりやすい分だけ薄っぺらな印象を与えてしまうのだ。私は、山本寛斎氏（デザイナー）の束ねた髪には野性が宿っていると思うが、松浪健四郎氏（衆議院議員）の束ねた髪には、ギャグが宿っていたと思う。国会議員が野性を売り物にすることが、そもそも奇妙だったともいえる。

サングラスにはどんな心理が隠されているか。「自分の内面を覗かれることなく、相手を観察しようという気持ち」がまず上げられる。

芸能人が外出をする時にかけたりするのは、「自分の素性を知られたくない」という気持ちがあるからだ。『ターミネーター』でアーノルド・シュワルツェネッガーは、サングラスをかけている。彼にサングラスが似合うというのも、そうする大きな理由ではある。

が、自分が旧式のターミネーターで、能力が敵より劣っているという事情も、彼のサングラスで察せられる。自分の内面（能力）を知られたくないのだ、と。自分より強い相手と闘わなければならないのだ、と。困難に立ち向かうのだ、と。

サングラスをする人としてまず思い浮かぶのは、ヤクザと芸能人である。ヤクザは「能力の全て」を知られたくないからサングラスをする。「底」を知られないことで、相手に威圧感を与える効果がある。この人には見えている以上の何かがあるのではないか、と思わせれば成功だ。

芸能人は「素性を知られたくない」から、外出する時サングラスをする。一般人の私たちはサングラスをすることで「ヤクザ」あるいは「素性を知られたくない芸能人（多くの場合美男美女）」の振りをすることができる。見た目に自信のない人が自信を付けるには、いいかもしれないが、そこを見透かされる危険性もあるような気もする。

他人と付き合っていくなかで、最初はともかくずっとサングラスをかけつづけるわけにはいかない。道具として、髭やサングラスを使うことは時に有効だが、その狙いが相手にわかってしまうと、かえってみっともないことにもなる。

ソファーの隙間はなぜ気持ちいいか

自信のなさを無理に覆い隠すよりは、弱点をそのまま正直に出したほうが、一般には好感が持たれる。観客は、主人公に感情移入してドラマを見るものである。人は、本音を語る人を好きになるからだ。

図2は、浦沢直樹の『YAWARA!』の第一回の一コマである。この人物は、新聞記者。柔ちゃんの「パンチラ」写真をたまたま撮ってしまった。編集長に、パンチラをもっと際立たせた記事にしろ、と命じられる。だが、記者は、正義感たっぷりに反論す

図2　本音が透けて見える顔
（ⓒ浦沢直樹（Studio Nuts）／小学館）

る。エッチな記事にはしたくないのだ、と。その後での台詞である。パンチラ写真を見ながら、「焼き増ししとこ……」。この一言で読者は、この人物に感情移入してしまう。本音を語るからである。本音を語るのは確かに言葉だが、この場合表情に説得力がある。本音の顔を見せているのである。「底」を見せてしまうことで、相手の警戒心を解いてしまう（この場合は読者に親近感を持ってもらう）手法である。「サングラス」と逆の効果を狙うのである。

主人公は、受け手の感情移入を誘う人物でなければならない。「人気」が必要なのである。人気者とは「人」の「気持ち」が入っていく人のことである。

ソファーに座ると、座る部分と背もたれの間にある隙間に手を入れると気持ちがいいと感じることはないだろうか。ソファーに限らず、たとえば新幹線でも隣の座席との間の隙間に頭を置くと落ち着くという方も多いはずだ。本来ならば窮屈なはずなのに、なぜ手を入れてしまうのか。

それは人間にとって「隙間に入る」のは気持ちがいいのである。

「人の気持ち」も隙間に入りたがる習性を持つ。本音を語る人物には、人間の防御壁が外れ、隙間ができる。その隙間に人の気持ちが入ってくる。

私は、仕事柄インタビューすることが多いが、序盤に自分の本音を語ると、相手も緊張を解いてくれることがあるものだ。個人的には、小道具でコンプレックスを隠す（ことによってかえって目立たせる）よりは、こちらのほうが気楽である。

第2話　仕草の法則

自分の席から離れない上司

縄張りの中にずっと居たがる人物は自信がない。だから舞台では、自信がないリーダーには、自分の縄張りの中で指示を与えるように演出する。

自分が歩いていけば済むようなことも、「○○君、こっちに来たまえ」と呼びつけるのである。

その人物は、台詞がなければ、「こっちに来い」という具合に、アクションで呼びつける。威張っている。が、実は能力がないということを表現している。

実際、有能な経営者は、社長室に籠ってばかりはいない。現場が好きで、現場によく出る。人やトラブルに遭うことを恐れない。自信があるからそれができる。

仕事に自信を持っているリーダーは、スッと部下の席まで行く。縄張りの中で自分の権威を守るより、部下の能力を引き出そうとする人物なのだ、ということが伝わる。

私が演出をする時、有能で人望のある人物は、できるだけ動きをとらせる。動きに自信を漲らせる工夫をする。で、相手の調子に合わせて喋るよう指示をする。自信のある人はそうなっているものだ。

駄目な役者は、有能な人物の役に付いてもなかなか動こうとしない。威張っているし、椅子にどっかりと腰を掛けたがる。それが「自信のある人間」だと勘違いをしているのだ。とはいっても、そういう役者を動かすと、かえってちょこまかと見えるから、始末に負えないのだが。

人気マンガ『総務部総務課　山口六平太』に有馬係長という上司が出てくる。あまり有能とはいえない人物である。彼はいつも席に坐っている。部下を丸めた新聞紙で殴る際も、椅子から離れようとはしない。

早口で声が高い人

演出家が、登場人物が「緊張している」というシーンを作るときにどうするか。それを表現するのに簡単なやり方が、まず声のトーンを高くすることだ。「うわずる」と呼ばれる状態である。

それまで、なんともなかったのに、自分が好意を持っている女の話題になると、突然声が高くなる。観客は「あの女が好きなんだ」と理解する。私たちが、結婚式のスピーチや会議で発言するときに、声のトーンが高くなるのと同じ原理である。

アメリカでは、アナウンサーは低い声を出すように指導される。低い声には、相手を和ませる効果がある。役者によっては、「私は声が高い」と決め込んでいる場合がある。声のトーンは、長年の習慣で身に付いたものだが、ボイストレーニングで変わるものだ。声帯は筋肉である。鍛えれば、その分能力は向上する。

私は、ボイストレーニングの基礎ぐらいは、義務教育に入れてもいいのではないかと考えている。声で損をしている人は、学歴で損をしている人より、遥かに多いのではあるまいか。

緊張している状態を演出するには、早口にする方法もある。早口には、実は不安や恐怖が隠されている。人は興奮したり、緊張したりすると、話のスピードが速くなりがちである。「まずい」と思う気持ちが、早口にさせるのである。

自分に自信が持てない時、過度に緊張している時、初めて会った人にどう話を切り出したものかわからない時などは、早口、小声になるものだ。

演出家は、俳優に「内面の充実」が感じられないと、「場面が持たない」と判断する。観客が飽きるのだ。そんな場面は早く終わらせたいから、俳優に早口でしゃべってくれという（もちろん根本的な解決にはならないが）。

かつて、「漫才ブーム」「小劇場ブーム」と呼ばれるものがあった。その二つには共通点がある。演技者は、共に若くて早口でしゃべる。よく言えば「若さと疾走感」だが、悪く言えば「場面が持たない」から「勢いで押すほかない」という状態である。早口でしゃべっていないと不安なのである。

なぜか百姓は東北弁

「言葉のなかのノンバーバル・コミュニケーション」というと矛盾した物言いであるが、声のトーン、しゃべるテンポはその代表例だ。同様のものとしては、方言もそのひとつである。同じ内容でも、その方言によって印象はまったく変わる。

日本語には様々な方言があるが、それぞれ固有のイメージを持っている。

私は、熊本出身の友人にこんな話を聞いたことがある。

「テレビで『水戸黄門』を観ていたときのこと。黄門様が肥後にいるのに、百姓が『～でごぜえますだ』というんだよ。熊本の百姓に『ごぜえますだ』はないですよね」

江戸時代の百姓といえば、「ごぜえますだ」というように決まっているという先入観がテレビの時代劇にはある。番組制作者も視聴者も、今では麻痺している感がある。

NHKが大河ドラマ『琉球の風』を製作したときのこと。共通語で喋る役者が、地元の視聴者に不評で、沖縄ではウチナーグチで吹き変えたものを再放送したという。

また、演劇やマンガのエンターテインメント作品では、「こういう役」は「こういう喋り方」というパターンがある。貧しい農民は東北弁。ケチは大阪弁。浮世離れして上品な人物は京都弁。ヤクザは広島弁。志が大きな男は土佐弁（坂本龍馬のイメージ）。男っぽくて逞しいと博多弁。人望のある傑物は薩摩弁（西郷隆盛のイメージ）。この辺りは、安っぽいイメージだが、一般に流通していると考えてよい。実際に、舞台やマンガで使う時も、言葉は「その通り」でなくてもよい。「何となくそう聞こえていればよい」のである。

ちなみに『変容する日本の方言』（「月刊言語」一九九五年十一月別冊、大修館書店）

には、全国十四地点で言語意識を調査した結果が載っている。十四地点は以下の場所。札幌。弘前。仙台。東京。千葉。金沢。松本。大垣。京都。広島。高知。福岡。鹿児島。那覇。

「地域のことばが好きだ」と答えたネイティブ（地元の人）の割合は、次のようになっている。

一位　松本（八五％）、二位　那覇（八三％）、三位　弘前・福岡（同率で七五％）、五位　札幌（六九％）、六位　高知（六四％）、七位　鹿児島（六一％）、八位　広島（六〇％）、九位　京都（五七％）、一〇位　仙台・東京（同率で五三％）、一二位　金沢（四七％）、一三位　千葉（三七％）、一四位　大垣（二九％）。

地元の方言が好き、という気持ちは郷土愛に通じる。松本や那覇、弘前、福岡が高いというのは頷ける。千葉、大垣が低いというのも、申し訳ないが何となく理解できる。千葉は東京のベッドタウンの中でも、あまりお洒落なイメージがある方ではない。また、大垣は松尾芭蕉の『奥の細道』結びの地ではあるが、そのこと自体もあまり知られていない印象の薄い都市である。このへんの「引け目」の表れなのではないか。

また、同じ調査で「共通語が好きか、嫌いか」も問うている。「好き」と答えた人の割合を共通語への心理的距離と見なして、東京からの距離で表したものが図3である。共通語に好感を持っている地域は、札幌、鹿児島、福岡など。

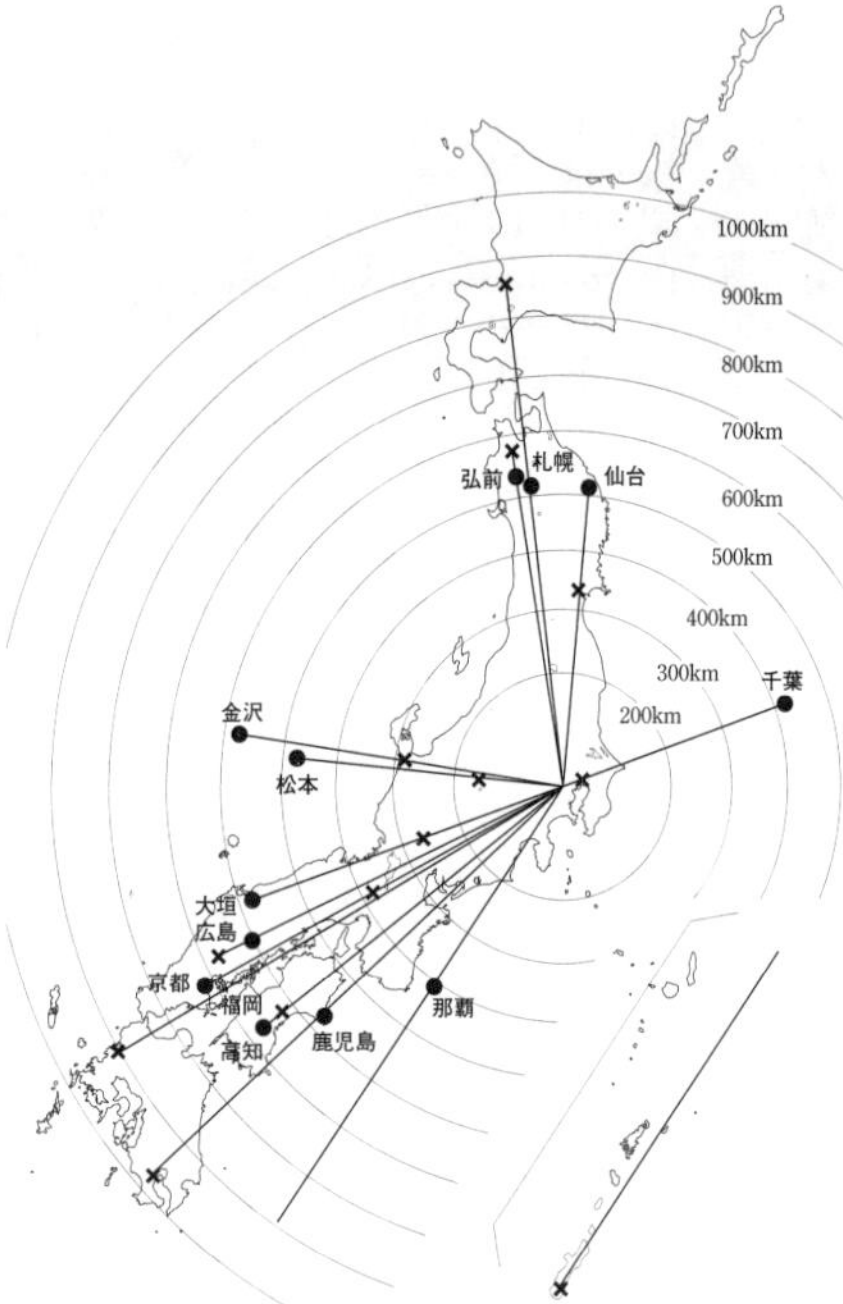

図3　共通語との心理的距離を表した日本地図
（『変容する日本の方言』大修館書店より）

逆に、一番低いのが京都（二四％）。これは納得できる。プライドが高くて当然の、美しい言葉だと思う。

それ以外で顕著な例は、金沢、松本、大垣、千葉。この数字には、二重の意味がある。松本は、自分の方言が好きだから共通語が嫌いという理解ができる。金沢、千葉、大垣は自分の方言も嫌いで、共通語も嫌いなのである。東京に対するコンプレックスと理解した方がいいようだ。

似たもの夫婦の心理学

話を仕草に戻そう。市川崑氏はキャメルを吸う。あまりにも、吸い方が格好いいので、市川組のスタッフはみんなキャメルを吸う、と俳優の中村敦夫氏に聞いたことがある。いい大人が？　と思われるかもしれないが、市川氏は、仕事も一流だというだけでなく、人望もあるし、人が真似したくなる人物であるということである。おそらく、読者の皆さんも、多かれ少なかれ好きな人、憧れの人の真似をしたというご経験はおありだろう。

そういうわけで、同調した相手とは、「何かを似せる」という演出が成り立つのである。芝居では、男と女が向かい合ってコーヒーを飲むとき、砂糖を入れ、スプーンでかき混ぜる仕草が同じであることに気付くという趣向をやる。もちろん、二人が「赤い糸」を感じる瞬間である。

相手に打ち解けてくると、人は仕草が似てくる。その傾向を演出に取り入れただけである。腕を組んだり、足を組んだり、筆記用具を持たせたり、その場で「気の合う二人」

を演出することはできる。台詞はいらない。

こうした傾向を心理学では「シンクロニー傾向（同調傾向）」あるいは「姿勢反響」などといわれる。打ち解けた親しい相手には、手の動きや、姿勢、頷き方まで似てくる。仕草だけではない。話し方も似てくる。話す声の大きさ、スピード、間の取り方、発言の内容（考え方）までが似てくる。

中年夫婦を見ていると、随分色んなところが似ているな、と感心することがある。納豆をかき混ぜる仕草などが似ていると、「この夫婦は性格の不一致なんて理由では離婚しないのだろうな」と思えてくる。

相手の話を聞くとき、次の三つの反応があると、同調の表れを感じる。
①「繰り返す」
相手が和んでいると、自分が使った単語が相手の言葉に混じることがある。
②「頷く」
こちらの話の「間」のタイミングで相手が頷いてくる。
③「相槌を打つ」
こちらの呼吸に合わせて、場が盛り上がるように反応する。

以上は営業マンの基本として、どんなビジネス書にも載っていることだ。

それ以外の同調の目印には次のようなものがある。「相手の話を聞く時の上体が自然と前のめりになっている」「テーブルの上の皿や、カップを脇へ寄せ、自分との障害物を取り除く」「両手が、組むことなく自然に足の上に置かれている」

もちろん「アイ・コンタクト」はもっとも重要な要素である。

愛し合っている男女は見つめ合う。その長さが、「好き」「嫌い」の感情を表すと考えてよい。同性同士にもその傾向はある。もちろん、男のほうが一般にはシャイではある。

男女間で重要なことは、並んで座る時、膝、つま先が相手の方を向いているかどうか、である。お互いに相手の方を向いていればよし。相手と別の方向を向いているようでは、「将来は危ない」と考えたほうがよい。

頷き過ぎにご用心

相手に向かって、否定的な言葉を発するばかりが、否定的な表現ではない。

我々は相手によっては、あからさまに否定することができない局面をたくさん持っている。そういう場面の演出方法である。

私たちは、他人の話を聞くときに、同意していようがいまいが、多少は頷かなければならない。しかし、頷いているからといって、必ずしも同意しているわけではない。そのことを表現したいときにはどうすべきか。そんな時は、間や話の切れ目に関係ないところで頷くのである。相手の流れと無関係に頷けば、本当に頷いたことにはならない。

また、「同意の頷き」は過不足なく行われる。「頷かない」のも否定なら「頷き過ぎ」も実は否定であることが多い。「ハイ」と一回返事すれば同意だが、「ハイハイ」ならば不承不承というのと似ている。

目安でいうと、四回以上続けて頷くと「否定」である。政治家の討論番組などを見ていると、野党の議員が喋っている間中、与党の議員が頷き続けていることがある。これは実は相手の話をまったく聞いていないということになる。「ハイハイ、あんたの言うことはいつもそればっかりだ。わかってますよ」というメッセージなのである。

頷くばかりではない。与党の議員が発言している間中、野党の議員は首を横に振り続けているということがある。もちろん、首を横に振っているのだから、否定である。

つまり回数やタイミング次第で、首は、縦に振っても、横に振っても、同じような意味になってしまうことがあるのだ。

相手の意見を否定する時には、殆ど腕組みがされている。腕組みは「その話は聞き入れられない」という態度の表れである。組まれた腕は、相手から自分を守る盾である。俳優が演技をするときも、この仕草は効果的だ。だから演出家としては、「相手の意見を受け入れていないのだから、腕を組んでくれない？」と注文を出すことになる。

そんな訳で私は稽古中腕組みをしないようにしている。俳優の演技を受け止めるのが演出家の仕事である。腕組みをすると、俳優が不安がることがあるのだ。

ベテランの演出家の手は丸太を抱くように、軽く手を組んだ状態で、自然に足の上に置かれているものだ。

とはいっても、「まずいな、このシーン何とかよくする方法ないかな」などと考えながら、稽古をしていると、つい無意識に腕を組んでいたりするものだが……。

オーバーアクションは薄っぺらい

俳優といえばアクションによる表現がうまい人と思われがちだが、一概にそうともいえない。そもそも欧米人に比べて、日本人はアクションが小さい。日本でシェークスピアやモリエールの芝居を上演する時、赤い髪の鬘を付けてやる場合がある。これを「赤毛物」というが、こういう場合は、俳優の身振り手振りが大きくなる。とはいっても、平均的日本人にはちぐはぐに見える演技である。

赤毛物ではなくて、俳優が「役作り」のために身振り手振りを大きくするケースがある。アクションが大きい人物は、感情表現が豊かで声も大きい。人の関心を、自分に向けようとする思いが、身振り手振りを大きくし、感情も声も大きくしてしまうのである。

大きなアクションは、日本人の場合、薄っぺらい感じ、あるいは「底の浅い印象」を与える。日本人のコメディアンなのに、妙にオーバーアクションの人は、そういう印象を狙っているのだ。こういう人を舞台で使う際の役どころは、「普段は、積極性を持った好人物だが、ここ一番の勝負に弱い男。あまり頼りにはならない男」になる。簡単に言えば「軽い男」ということだ。

一方、感情の起伏が激しく、分かりやすい人物だから、コメディの主人公にもってこいになる。素直な扱いやすい相手には、観客は簡単に警戒心を解く。人気バスケットマンガ『スラムダンク』の主人公・桜木花道のようなヒーローである。彼は自分で自分のことを「天才」といってしまう好男子だ。面白いことに、こういう男が、ここ一番で結果を出せば、それまでのマイナス評価（頼りにならない）が一挙に大きなプラスに転化する。常識が逆転した効果で「スーパーヒーロー」になる。長嶋茂雄氏もその一人だろう。最近では、北海道日本ハムファイターズの新庄剛志選手もそのタイプかもしれない。「大きなアクション」が伝えるものは、日本もアメリカも同じだが、その応用法が異なる。プロレスのヒール（悪役）のつくり方で紹介しよう。

アメリカの悪役は、凶悪そうなマスクをしたり、刺青を入れたりして、先ず「自分は悪いやつだ」というのを、見える形にする。加えて、「俺は悪いやつだぞ。悪いからこそ、強いのだぞ」と偽悪的なアクションが繰り返される。

日本のヒールも、マスクは付けるが、見るからに人相が悪いのは付けない。かえって安っぽく見えるからだ。また、アクションも派手ではない。むやみに他人の視線を集めたがる男は、一般には「勝負弱い男」というイメージがあるからだ。ヤクザ映画でも、チンピラほど肩で風を切り、常に身体を動かしている。本物のヒールは闘志を内に秘めた感じでリングに上がってくる。「底知れぬ不気味な感じ」を相手レスラーに与えて、優位に立とうとする。

悪役ではないが、全盛時代のアントニオ猪木は、長嶋氏と同じようなカリスマ性があった。だから入場時のアクションが大きくてもそれがそのまま魅力につながったのだ。

いずれにしろ、アクションの大きい人は、他人の気持ちを自分に向けようとする人物だから、他人の感情を理解したり、細やかな心配りをしたりするのは苦手なことが多いといえる。

足を大きく開く男

自分を大きく見せる、小さく見せるというのは、「パーソナル・スペース」（縄張りのこと。第8話で詳述）を大きくするか、小さくするかに関わっている。縄張りを大きくしたいのは、自分を大きく見せたい人である。小さく見せた方が得だと思えば、小さく見せる。

日本女性には、「内股」で歩く人が少なくない。京都の舞妓さんが、和服で歩く時、内股歩きをすると、さまになっているな、と思う。縄張りを小さく見せて、従順さを演出していると考えてよい。歌舞伎の女形も、当然この歩き方になっている。この「内股」という文化、私は日本以外では知らない。

かつて、日本の若い女性は椅子に腰掛ける時、膝を付けてコンパクトに座ったものである。しかし、最近の若い女性は電車に乗る時でも、両膝を付けることがなくなった。

女子高校生が、ミニスカートで膝を離して座っていたりすると、目のやり場に困るほどである。自分を小さく見せる必要が減ってきたといえるのではないか。「従順さ」で異性にアピールする必要性が減ってきたともいえそうだ。ただ、膝が離れたまま、つま先だけが内側に向いている、内股を思わせる座り方の女子高校生はよく見かける。この座り方は「可愛い」と認識しているのである。「小さく見せる」ことの、現代的な変化形といえそうだ。

一方、男が大きく足を開いて座るのは、自分を大きく見せたいという欲望の表れである。夢が大きい。大きなロマンを追い求めている。その姿勢が、人物の実寸を超えている場合、大きく足を開いて座る演技をさせる。戦国武将の座り方はこうでないと様にならない。膝をぴったりくっつけて座る織田信長を想像してみてほしい。

一般に真面目な性格の役者は「偏った人間」を演じるのが苦手である。真面目な役者は「過不足なく演じたい」からである。だが、演じるのは「偏った人間」なのだから、演出家は「偏らせる方法」を考える。

「開き過ぎるぐらいに、ぐっと足を開いて座ってみたら」

と演出家が注文を出す。役者がそれをやってみると、段々気持ちが大きくなってくる、ということが、実際にある。

自然界でもまったく同じ現象が見られる。猫はけんかをするとき、全身の毛を逆立てて威嚇する。鳥も天敵に狙われると翼を大きく広げて守ろうとする。

「大きく見せる」「小さく見せる」は、その人物の相手もしくは世界に対する「基本姿勢」を表している。

緊張のサイン

今度は「アクション」による「緊張の表現」を思いつくままに紹介しよう。

電話をしながら手遊びをするのは緊張の表れ。何かに触れてリラックスしたいのである。古いテレビドラマでは、恋人と話すとき、電話のコードで手遊びをする女がよく使われた。女の場合は、基本的には「好意」と見てよい。好意をもてない相手、どうでもいい男に、緊張の手遊びはしないものだ。だらだらしているときには、コードもだらりとしている。

「まばたき」も不安や緊張の表れである。まばたきによって、他者の視線を一瞬遮断することができる。つまりまばたきは視線をそらす擬似行為なのだ。私の経験では、稽古不足の役者は、舞台に出た直後にまばたきが多くなる。また、じっと見つめられても、まばたきが多くなるものだ。

逆に、緊張が解けたサインの代表が「上着を脱ぐ」という行為である。結婚式などでスピーチをし、二次会で無意識に上着を脱いだあとで「ああ、そういえばずっと上着を着ていたのか。道理で肩が凝るわけだ」と気付くことがあるのではないだろうか。それまでは緊張のあまり、そんなところまで気がまわっていなかったのだ。

落語家はこの動作を意識的に利用している。枕を終え、話が流れ始めると、羽織を脱ぎはじめる。その瞬間に見ている客も打ち解けた気持ちになれる。

「上着を脱ぐ」だけではなく、「上着のボタンを外す」「ネクタイを緩める」なども、リラックスしてきた表現である。

両者が打ち解けたという場面を作る時、私はよく「残心」という演出方法をとる。デートの後では、より惚れている方がいつまでも見送るといわれる。二人別れた後に、振り返ると相手も振り返っており、丁度いいタイミングで「目が合った」という状態をつくる。心が相手に残っている状態。電話を切るとき、話が終わると、すぐに切るのではなくて、一間置いて、相手の気持ちを察しながら、切るという仕草である。

最近は、携帯電話が多くなり、その仕草を作る局面が減ってきた。実際に若い俳優の中には、「残心」という感覚そのものが理解できない人もいる。これは困ったことだ。

サクラは三人以上必要

さてノンバーバルのメッセージは一人の人間からのみ発せられているわけではない。道を歩いているとき、歩道で他人が空を見上げていて、何が起こったのだろう、とつい釣られて見上げてしまったという経験は誰にもある。殆どの場合は、飛行船が飛んでいたり、子どもが風船を飛ばされてしまったりという他愛のないケースが多い。

アメリカの心理学者ミリグラムは、ニューヨークでビルを見上げる人と、釣られて立ち止まる人の関連を調査している。結果は次のようなものである。見上げる人が二～三人になると、釣られて立ち止まって見上げる人が急速に増える。五人以上になると、八割の人が見上げる。ここでは「人数」も、情報の中で重要な地位を占めている。

「競輪時計」と呼ばれる有名な詐欺のテクニックがある。競輪場近くの路上で小さな台を並べて、時計を売るという商売である。売る人は一人だが、いつもサクラが三～四人客になりすまして、時計を物色する振りをしている。サクラはスクラムを組むように、隙間なく台の前に並んでいる。通行人は「そんなに人が強い興味を持つものがあるのだろうか」と訝しく思う。が、なんとなくそそられるのである。

台の上で売られている時計は、一見高級そうな装飾がなされており、市価よりかなり安い値段。だが、買ってしまうと、中身は香港製の玩具で、数週間で止まってしまうという代物だ。

名前は「競輪時計」だが、競馬場にも競艇場にも同じ商売をしている人はいる。店主も、サクラも毎日同じメンバーである。私の知る範囲では、女性を一人交えるチームが多い。

私が物語を作るとき、「誰かを引っ掛ける」という局面では、二人ないし三人の複数で「偶然の出来事」が重なる瞬間を作る。登場人物は、「理由はわからないが何となく惹かれる」という状態になる。

「もてない」ということで悩んでいる人にどうすれば自信をつけることができるか。

本人以外に三人用意すれば、かなりの確率で彼に自分は「もてる男」だと勘違いさせることができる。一人の男を、三人の男女で「あなたは実はもてているのだ」と誉めそやすのだ。一人よりも三人に言われたほうがはるかに信じやすい。

そんな馬鹿なと思われるかもしれないが、実際に「人数」をテクニックとして使っている広告がある。男性雑誌でお馴染みの「このお守りを持っていれば、金運も女運も付いてくる」という類の広告である。ここで実際に女性にモテモテになった状態のイメージ写真が載っているが、冴えない男を三〜四人の美女が取り囲んでいるという構図が多い。本来ならば一対一で贅沢を言うなというところなのだが、このもて方は偶然ではない、というメッセージを秘めているのだ。

飲食店の前に列ができていることがある。並んでいる人が二人だと、「たまたまかもしれない」という気になるが、三人だと「相当美味《うま》いのだろう」と判断してしまう。やはりポイントは三人以上ということになる。

第3話　女の嘘が見破れない理由

「目を見て話す」のは何秒か

目は口ほどにものをいう。それは単なる慣用句ではなく間違いない真理である。新人の役者で、やがて売れるなと思える人には、間違いなく目に力がある。私たちは「目力」といったりする。だから、稽古で役者の「目力」を鍛えようとしている演出家もいる。

しかし私はその訓練にはあまり意味を感じない。役者の「売れる」「売れない」は、生得的な部分が大きいように思うからだ。主役タイプか脇役タイプかは、キャリアを積んでくれば、大体わかってくるものだ。無理やり「目力」をアップさせようとしてできるものだとは、思えない。

マンガ家も同じだ。売れるマンガ家の作品は、主人公の目に力がある。主人公の目が生きている。読者は、主人公の生き様にも共鳴するが、表情の中のとりわけ目に共感が持てないと物語に入ってこない。

残念ながら生身の人間では生得的な部分は変えられない。だが、コミュニケーションの技術としてのアイ・コンタクトは変えることができる。

子供のころに、よく大人から「相手の目を見て話しなさい」と教えられる。私は、子供の頃から気の強い方ではなく、相手の目を見るのが苦手だ。何とか、頑張って自分を変えなければ役者に申し訳ない、と一念発起して、意識して相手の目を見て話すようになったのが、四十代の半ば近くになってからである。それでも、ストレスは大きい。

よく考えてみると、目を見て話すというが、実際にはどの程度見ればいいのか。それを具体的に教えてくれた人はいない。まったく相手と目を合わさずに話すのは論外だが、相手をじっと見つめて話したら、やはり奇妙である。

実際に会話の最中に目を見ている時間は意外に短い。二者間の会話で、通常は三〇〜六〇％である。六〇％見たら、相当親密な関係だといっていい。では、両者の目が合っている時間はどのくらいか。そのうちの一〇〜三〇％である。その辺りが「目を見て話す」状態である。だから、それほど目を見ているわけではない。

また、連続して目と目が合う時間は、一秒程度である。それ以上合うとストレスが生じる。若い恋人たちは、お互いの目を信じられないほど長く見合っているが、あれは「恋の病」という病気ゆえである。

一般には、女性の方がアイ・コンタクトの時間が長い。そして、自分が話しているときより、聞いているときの方が相手を見ている時間が長い。この女性の特性がわからないと、相手の発しているノンバーバル・メッセージを取り違えてしまう。「あんなにじっと目を見て話してくれているんだから、自分に好意を持っているに違いない」というのがそういう勘違いの代表例である。そもそも女性にはそういう特徴がある、と肝に銘じておいたほうがよい。

女の嘘はばれにくい

さて普通の人は嘘をつくとき、必ず不安になるものだ。その不安は仕草となって表れる。極端な例として印象深かったのが、かつてロッキード事件に絡んで国会に証人として喚問されたある人物である。証人として彼は何かの書類にサインをしなくてはいけないのだが、緊張のあまりペンを持つ手が震えだして止まらない。そのうちその震えはどんどん大きくなって、終いにはもう片方の手で押さえつけていた。こうなると、見ている側は、彼の言うことが本当だとは到底思えない。

本当は、嘘をついた発信地である口を隠したい。それが本来の気持ちである。だが、それでは見え透いてしまう。だから、その代替行為をすることになる。

物語が虚構である以上、演技の中で重要な技術は「嘘」を表現する技術である。大衆演劇ならば、扇子を取り出して、顔をパタパタとやりたい場面である。「焦り」も表現できるし、顔（口の近く）に刺激を与えることができる。扇子の動かし方が、口を覆うのにやや近い行動ともいえる。

現代劇の場合は扇子という小道具が使えない。俳優は、口を隠せないから、あご、鼻、耳たぶなどを触る。一般に、顔を触る仕草が多くなる。あごや鼻だと見え透いているから、という理由で眉、更に髪の場合もある。

嘘は不自然な動きを誘う。自分の胸に手を当ててみれば分かることだ。

一般に男の浮気はばれやすいが、女の浮気はばれにくいと言われている。これにも先ほど述べた女性の特性が大いにかかわっている。男と女で、嘘を見抜かれたときの「目の処理」が異なるからである。

男は嘘をついた時、目をそらす。やましい気持ちが目に表れる。

ところが女が嘘をついた時は、相手をじっと見つめて取り繕おうとする。

つまり女がじっと見つめた時は本来怪しいのだが、これはいまだに「世の一般法則」にはなっていない。だから、演技術としても使えない。仕方なく、演出家は、女がやましい時も「目を外す」演技をつけることになる。

ドラマであれば、現実とは異なっていても、観客に通じればいい。そこであえて共通の了解事項から離れる必要はない。問題は真実から外れた「一般法則」（＝人は男女を問わず嘘をつくと目をそらす）が定着しているというところだ。この勘違いから逃れないかぎり、女の嘘を見破るのは難しいということになる。

勘が鋭い女性とは

嘘が見破りにくいだけではない。一般に男より女の方が、勘が鋭いと言われている。

つまり女は男の嘘を見破る「勘」を持っているのだ。それは長い間日本では、女性の社会的立場が低かったからだと、私は考えている。

勘だけでいえば、例えばプロ麻雀師の対局などを見ていて、神憑《かみがか》りと思えるほど勘の鋭い瞬間がある。もちろん、いつもいつも鋭いわけではない。バイオリズムはある。

女の方が優れている勘は、麻雀の牌《ハイ》の流れを読む勘とは異なる。「相手の本心を読む力」と言い換えていいだろう。妻が夫の嘘を見抜く能力は、一般に高いといっていいだろう。妻の嘘の方がばれにくいというのは私の個人的経験ではなく、常識であるといっていいと思う。

私が戯曲を書くとき、勘のいい女性は社会的立場が弱いことが多い。会社の中でいえば、お茶汲みや電話番であったりする。そういう女性が、時々エリートをハッとさせるような鋭いことをいうのが、ドラマチックだからともいえる。逆に、エリート総合職の女性は勘が鈍いように描く。理詰めな話をさせると優れているが、人間の機微の肝心な部分がわからずに失敗するというドラマになる。

なぜ、そんな描き方になるのだろう。それはもちろん私がそう感じているからだが、実際にそういう傾向があるのだ。

社会的に力を持っている女性は、相手の心情を察する必要がない。相手がどう思っていようとも、命じて動かすことが大事だからである。

ところが、社会的に立場の弱い女性は、相手がどう思っているかが大事なのである。自分が生き延びるためには、相手の気持ちを尊重しなくてはならない。必然的に、相手の本心を見抜く勘が磨かれる。例えば私が何か用事を頼む。最後に「手が離せないのなら後でいいんだけど」と付け加える。そのニュアンスから、今すぐやるべきか、後でもいいのかを鋭く判断するのである。

テレビドラマでも、夫の浮気を見抜く女性は専業主婦であることが多い。女社長やエリート総合職は、夫を別の女性に取られる役回りになる。

社会的立場の弱い女性の勘は、要チェックということになる。

この特性は男にも当てはまる。例えば、中途入社で仕事のできない人は、会社の中では立場が弱い。だが、社内の世渡りは割に上手かったりする。この能力は、妻が夫の嘘を見破る勘と無縁ではないように思う。

潤んだ瞳に注意

身分や社会的立場の上下を、舞台では実際に観客に見える形で提示することがある。舞台をひな壇に作り、登場人物の「高さ」に高低差を付けるのである。この工夫によって観客は無意識に、「上下関係」をイメージとして捉えることができる。高低は女性が媚を売る仕草ではきわめて重要な要素となる。現代の若い女性が、男に媚を売る仕草は、ドラマでは概ね次のように定式化されている。

①目じりを下げて、唇の両端を上げることで、表情に愛嬌を出す。更に、首をやや傾げ、上目遣いになり、あなたのいうことは何でも受け入れますよ、といった雰囲気で「あのぅ」と話しかけると、男は参ってしまう。従順そうに見せるのである。「立場の低さ」を逆手にとって、男を手玉にとる手法である。

②女は基本的に、意中の男の目を見て話す。その男が問いを発すると、即答せずに少し視線を外し、はにかむような顔を見せる。顔を正面からではなく、憂いが感じられるように斜《はす》に見せる。間ができるので、男は女の反応に興味を持つ。男の気持ちが女に入ってきたと思われるタイミングで、女は先ず、男の目をしっかりと見る。半呼吸置いて、女は台詞をいう。「考える時間貰える？」――これも「立場の低い私は、立場の高いあなたにきっと従うでしょう」というメッセージになる。

③女は基本的には意中の男に「ありがとう」という感謝の言葉を多用する。この言葉を多用する女は、男には「いい子」という錯覚がある。「ありがとう」は魔法の言葉で

ある。だが、プレゼントを貰った時には、言葉を発することなく瞳を潤ませる。嬉しくて「言葉も出ない」という表現に変わる。「潤んだ瞳」は消費者金融のＣＭに出てくるチワワ犬の例を引くまでもなく、相手を虜にする。チワワ犬は小さい（つまり、自分に従いそうな雰囲気）のが特徴だが、「潤んだ瞳」も社会的立場の低さを利用した手法である。

図４　ラブコメ的な潤んだ瞳の少女（画・上原由香理）

女性の結婚詐欺師の間では、「潤んだ瞳」は基本的なテクニックであるらしい。無口な男も、女に潤んだ瞳で見られると、何かを話さないわけにいかなくなる。結局、相手に同情してしまうのだ。

ラブコメ・マンガの主人公も、必ず読者を潤んだ瞳で眼差している（図４）。これで男の読者を悩殺している。

もちろん、これらの手法は舞台や映像、マンガの演出だけでなく、一般に用いられている。私たちの周囲のごく普通の女性でも使うテクニックである。

一般に用いられるから、「表現手段」になるのである。残念ながら、男の側にはこれに匹敵するような公式化されたテクニックは存在していない。

髪型の意図

公演前に、女優に「髪の毛を切っていいですか?」と訊かれることがある。役によっては、ロングヘアーの方がいい場合もあり、切ってからでは手遅れになるので、切りたいときは事前に演出家に相談するのが、女優の常である。

髪の長い女性、短い女性、確かに個性が異なる。髪が長い女性は清楚な美人タイプであったり、髪が短い女性はキュートで男勝りであったり。役作りに重要な要素ではある。だが、私が長さよりももっと重要視しているポイントがある。額を出しているか、隠しているか、である。

日本では、江戸時代までは、男も女も額を出していた。髪型が簡素になったのは、明治以降である。女性には、前髪を垂らす少女の髪型が出てきた。

人間は、前髪を垂らすと、三〜四歳は若く見えるといわれる。だから、自分を若く見せたい場合は、一般に前髪を垂らす。大人びて見せたい場合は、前髪を上げる。

その女性が自分を若く見せたいと思っているか、大人びて見せたいと思っているか、が演劇のキャラクター作りにおいてはポイントになる。男性に可愛がられるように愛されたいのか、大人として同等の人格として愛されたいのか。髪型は恋愛観とくっついてくる。あるいは、仕事観ともセットになる。ミスをして「ゴメンナサーイ。私またやっちゃった」と笑ってとぼける女性なら、前髪を垂らした方がいいということになる。反対に額をきちんと見せている女性はキャリア志向が強い。

東京新宿・歌舞伎町で、警官が未成年者を補導する場合、対象が未成年者か否かが見極めが付かない場合がある。こういう時には、次のような判断材料があると聞いたことがある。対象が、大人びた服を着ていたら未成年。子供っぽく見せていたら、年がいっている、と。

一九七〇年代から、男も前髪を垂らすようになった。ビートルズが流行らせた長髪の影響である。「りりしさ」が減って「優しさ」が増えてくる。反社会性とセットになって定着した「男の前髪」だが、「社会に出るのが嫌だ」というモラトリアム意識と考えればわかりやすい。

前髪を上げると「女っぽい」。垂らすと「女の子っぽい」という言い方もできるだろう。男も同様で、前髪を上げると「男っぽい」。垂らすと「男の子っぽい」といってもいい。ジャニーズ系の男の子は、基本的に前髪を垂らしている。かわいらしさ、優しさを「売り」にしているからである。

可愛い女の子になる方法

マンガの世界では、「可愛い女の子」の定番がある。詰まるところ、男の子に人気のある女の子像である。男の子がそういう女の子を求めているのだから、女の子はそういう女の子を目指す。

「可愛い女の子」のポーズの第一の特徴は、快活に足を広げている時も、膝は内側を向いているというものである（図5）。女の子らしさの象徴は、内側に向いた足。これは舞妓さんの歩き方の変形であると私は考えている。従順の表明である。パーソナル・スペースを狭くしてでしゃばらないという印象を相手に与える。また、片足を少し上げ、ぎこちない感じを出すことが「女の子らしい」ポーズである。ぎこちない感じを男が好むというのも、困ったことだが、わからなくもない。

活動的な女の子が、フッと女の子らしくなるのが男の子の理想である。同じ女の子が、

図5　可愛いポーズ
（尾澤直志『キャラデザの壺②』
グラフィック社より）

図6　ナマイキな顔と可愛い顔（同）

恋する表情になると、図6の上から下のように変わる。

　あどけなさを出すために、目は大きめに開く。また、下の方が目の間が開いているのがおわかりになるだろうか。これは男の子にとっては「隙」になるのだと思う。目と目がくっついている女の子は基本的に顔がきつくなる。隙がない印象を与える。男の子にとって、女の子は「隙」のある存在でなければならない。そうでなければ近づけなくなる。第1話で述べた「ソファーの隙間」の気持ちよさと同じ理屈である。

　だから女の子の目と目の間には、「隙間」があいている方がよいのである

（限度というものはあるが）。それは「無防備ですよ」というメッセージともなり、そこに「男の子の気持ち」が入ってくるのだ。

さらに、こぶしは軽く握ったほうがいい。女の子らしさだけならば、こぶしは開いていたほうがいい。だが、全部女の子という表現だけでは、アクセントが無い。だから、こぶしだけ軽く握ることで少年っぽさを演出するのだ。

この章では、ドラマをつくる現場で気付いた女性のノンバーバル・コミュニケーションの特性について書いてみた。もしも女性の読者で、「この著者は何もわかっていない」と思われる方がいたらご容赦いただきたい。

第4話　マンガの伝達力

マンガの技法に学ぶ

現実世界の話からいったん離れて、この章ではマンガの表現技法について話してみたい。

日本の出版物（発行部数）の約三分の一はマンガであり、世界最大のストーリーマンガの生産国である。

とりわけ、マンガが原作となったアニメは世界中に輸出され、『美少女戦士セーラームーン』や『ドラゴンボール』は、日本の首相より遥かに知名度が高いはずである。何故、これほどまでに社会的影響力が強いのか——。最大の理由は伝達力の高さである。

百聞は一見に如かず、であるから、絵で見せれば伝わりやすいのは当然のことである。ビジュアルな表現で考えるなら、映画やテレビも同様である。ところが映画やテレビは、一回見た場面を遡って見ることができない。マンガは、何度でも自分の好きなページを遡ることができる。自分のペースで読むことができるのである。だから、受け取り手にとって理解しやすい形になっている。

また、映画は映画館、テレビはお茶の間で観賞しなければならない。最近は、携帯用のテレビもあるが、それでも一般的なものとはいえない。その点、マンガはいつでもどこでも読むことができる。場所や時間を選ばないのである。

伝達力の高さに加えて、簡便性にも優れている。

私はマンガの世界に身を置いていて、驚くのは表現力・伝達力の高さである。日本のマンガ家は、表現技法の練磨に貪欲だ。日本人は本当に勤勉な国民だな、と納得してしまう。日本の出版物の三分の一を占めても不思議はないと思う。

マンガにおいて、「言語」にあたるものは何だろうか。台詞はもちろんだが、メインのキャラクターの描き方、ストーリーも、マンガの世界においては一種の「言語」とも解釈できる。つまり、こうしたものはそこで何が描かれているのか、すぐに言語に転換できるからだ。

しかし実はマンガの面白さ、出来の良し悪しは、こうした部分以外に左右されることが非常に多い。それは私たちが人を発言内容ではなく、無意識のうちに見た目で判断していることと似ている。

マンガは詰まるところ「見た目」勝負の文化である。現場にいると、それを痛感する。ベストセラー小説が原作で、絵も上手なのに面白くないマンガというのがある。それはまさに、紙の上でのノンバーバル・コミュニケーションが有効にできていないからだ。読者は無意識にそのマンガを詰まらないと感じてしまう。

私は『哲也　雀聖と呼ばれた男』という麻雀マンガの原作を七年半担当した。麻雀マンガとはいえ、「週刊少年マガジン」に連載していた、正真正銘の少年マンガである。主な読者層は、ほとんど麻雀のルールを知らない。編集部から、この依頼を受けたときには、ずいぶん無謀なことに思えた。

しかし、このマンガは若者層に受け入れられた。日本以外にも、台湾、韓国、香港などでも翻訳されている。これらの国では日本以上に読者は麻雀に疎い。

そういう読者たちになぜこのマンガが理解できたのか。その理由のひとつは、台詞の

図7　役満と普通の上がりでは迫力が違う（©さいふうめい・星野泰視／講談社）

大小である（図7）。ごく簡単に説明すれば、「役満」（得点の高い手）のときは、迫力ある文字で「九連宝燈《チユウレンポウトウ》!!」と登場人物は叫び、点の低い手のときには、小さな文字で控えめに「中《チユン》のみ」と宣言させる。ルールがわからなくても、それだけで読者は「何だか大変な決定打が飛び出したようだ」とか「一応上がったけど大した事なさそうだ」ということがわかるのである。

これはあくまでも非常にシンプルな例にすぎない。マンガの世界でのこうしたノンバーバル・コミュニケーションは一般には、マンガ家の使うテクニックだということで片付けられてしまう。しかし、その表現技法は極めて複雑で、かつ洗練されたものである。

四十歳のときにマンガの世界に足を踏み入れた

私はそこに驚き、感動したものである。

が、それが今ひとつ世間には伝わっていないような気がしてならない。ノンバーバル・コミュニケーションを意識的に活用している最先端の領域がマンガである。そういう視点で本章ではその一端をご紹介したい。

構図のインパクト

マンガの表現技法を飛躍的に発展させたのは、手塚治虫と大友克洋の二人である。劇画に限定すれば、水木しげるや白土三平の功績も大きい。

ここで紹介するのは、マンガの世界で「技法」として既に定着した方法である。

図8の二枚の絵は同じ絵である。だが、インパクトが全く違う。上の絵からはパンチの衝撃が全く感じられない。

映画でいえば、カメラの位置が違うのである。

マンガの場合は、構図という。同じ絵でも、構図が違うと全く違ったものに見える。

これは演劇と映画の違いでもある。上の絵は演劇と同じ。演劇では、アクション・シーンに迫力が出ない。これは構図を変えることができないからである。

図８　パンチの衝撃度がアングルで変わる（画・上原由香理）

図9　ショックの伝わり方がアングルで変わる（画・上原由香理）

図9は、ショックを受けたキャラクターの絵である。ショックを受けた感じをより強く表すために、キャラクターを左の絵のように斜めにずらすことがある。人物が実際には有り得ない角度になっているため、不安定に見える。それが人物の内面を表す効果を上げているのである。

つまりマンガ家は、映画でいうなら、演出の他にカメラマンの仕事もできなければならないのである。

最近、二十代前半ではマンガ家としてデビューし難いといわれている。というのも、マンガが高度になり、マンガ家として「この程度の能力があって当たり前」といわれるレベルが上がってしまったからである。

マンガ家は、映画でいうなら、次のスタッフの能力が求められる。脚本家。照明家。カメラマン。監督（演出）。デザイナー（絵と吹き出しの構図やページのデザイン）。本当に大変な職能である。最近は、原作者とマンガ家との分業も進んでいるが、それでもマンガ家の負担は大きい。

内面を背景で表現する

マンガの背景に使うスクリーントーンは、日本独自に発展した画材である。今のマンガ家は、これなしにマンガを描くことはないだろう。

人物の内面を背景で表現するのである。悲しみ。怒り。喜び。落ち込み。衝撃。ときめき。ひらめき。……図のように、感情とフィットしている。何故そういう印象になるのかは、理屈ではなかなか説明が難しいのだが、これはマンガの技法として既に定着している。マンガの技法は、映画やアニメから援用されたものが多いが、これはマンガ独自に発展したものである（図10）。

この手法を最初に使ったマンガ家が誰か、は定かではない。私が知っている範囲でいうなら、手塚治虫が初期に壁やソファーなどにいたずら描きのように模様を入れ始めた

ひらめき　悲しみ

図10　喜び　怒り（画・上原由香理）

のが発端ではないかと思われる（図11）。初期の頃はいかに手塚といえども、あまり効果を挙げていない。意味がないといった方が正確だ。これがやがて背景に膨らんでいく。すると今度は、登場人物の内面描写に発展する（図12）。

映画などでも、主人公の失意を、沈みゆく夕陽で表現することがある。背景が内面と重なる演出である。この技法の応用ともいえるが、スクリーントーンは内面描写のための背景なのである。この時、リアルな背景は全く無視される。

手塚治虫は、終生スクリーントー

図11　石の影の部分（右上）も手描きだった（ⓒ手塚プロダクション『私家版ロストワールド』より）

図12　手描きの影が感情を伝える（ⓒ手塚プロダクション『空気の底』より）

図13-1　斜めでは読者に伝わらない
（画・上原由香理）

図13-2　見つめられると男は弱い

ンを使わなかった。アシスタントが多数必要なので制作は大変だが、手描きの味がある。基本的にはこの手間を省くために生まれた画材がスクリーントーンである。

読者に語りかける

青年マンガ誌の「ラブコメ」は、基本的に読者がヒロインに恋をするように作られている。ヒロインは男の憧れを象徴した存在として描かれる。で、ヒロインが読者に語りかける手法が使われる。

図13―1のように、ヒロインが横にいる男の子に向かって「好きです」と台詞を吐いても、読者は嬉しくない。

ヒロインは、正面にいる男の子に向かって「好きです」といっているのだが、構図的には、読者に向かって台詞を吐かなければならない（図13－2）。すると読者は、自分に言われたようで「悪い気がしない」のである。

もちろん、正面から描いた方が、目が潤むし、無防備な印象になる。加えて、首を傾げた感じも正面の方が魅力的に見える。

マンガでは、キャラクターは相手役とも会話しながら、読者にも語りかけているのである。

演劇の方でも、ここ三十年程で演技の質が変わった。かつて新劇が目指したリアリズムは、舞台上の役者同士のやり取りだけが「演技」だった。観客は、役者同士のやり取りに感情移入して舞台を鑑賞したのである。

演劇で役者が「観客を触る」のはこの三十年のことである。私が思うに「観客を意識して取り込む」演出方法を最初に始めたのは、つかこうへい氏である。それ以前の小劇場でも、ギャグのようには使われていたが、演出方法として、一本の芝居を貫いたのは、つか氏が初めてだろう。「観客を触る」感覚は、やがて漫才ブームに繋がっていった。その影響で、観客との一体感が強く求められてもいった。

図14-1　大声
（画・上原由香理）

図14-2　小声

図14-3　折り返しの効果で小声

図15-1　（同）

図15-2

図15-3

マンガの「読者に語りかける」技法の普及は、つか氏が演劇で開発した演出方法と無縁ではないと私は考えている。

絵で音を表現する

テレビや映画などの映像表現に比べて、マンガの弱点は音声がないことである。

そこで、音声表現を何とかして視覚化しようと試みることになる。

アメリカンコミックは、あまりこの効果に熱心ではない。日本のマンガの特徴である。マンガ家は、絵と文字を組み合わせるデザインセンスも問われるようになった。

マンガ表現は、生活にも入ってくる。頭を掻きながら「ポリポリ」と声を発する人がいるが、マンガの擬音を人間が模倣した結果である。

また、音量の表現も工夫される。

文字の大きさ、折り返しの場所でも〝音量〟が変わってくる。図14—1の「聞いてよ」は14—2と同じ台詞だが音量が違って聞こえる。文字が大きいだけで、音量が大きくなるのである。

また、図14—3のように、「聞い」と「てよ」の間に折り返しを入れると、台詞に〝伸び〟が感じられないので、音量が小さく感じられる。

吹き出しの形も台詞の感情を表すのに効果がある。

図15—1の吹き出しが最も一般的なもの。通常の会話はこの形が使われる。

図15—2は、独白や内面描写によく使われる。人物の内面から、ほんわり浮いてきた感じが、小さな丸の繋がりに感じられる。

図15—3は激情を表す。人物が叫んだりすれば、基本的にこの形である。言葉の刺々しさが、形で表現される。

図16　初期のコマ運び（ⓒ手塚プロダクション『新・宝島』より）

コマのマジック

戦前のマンガは、基本的に一ページに三〜四コマ、縦に絵が入っていた。マンガは上から下に読むものだった。これでは、最近のマンガの特徴である、コマの組み合わせの妙による多様な表現ができない。

コマを「右から左」に読ませるようになった先駆者はまたしても手塚治虫である（図16）。

ちょっとマニアックな話になるが、コマ割りについて少し説明してみよう。

初期は、手塚も読者が読み間違え

図17　左頁の２～３コマ目が逆（ⓒ手塚プロダクション『拳銃天使』より）

ないようにコマに番号をふったりしていた。さらに、自分も「コマの運び」を間違えたりしている（図17）。

手塚は、最初から「右から左」に読まれれば、マンガの表現は飛躍的に発展すると考えたのではないのである。それは彼が繰り返した「コマの実験」の結果なのだ。

手塚は最初、見開き二ページを一コマに使う大ゴマを使い始めた。これも手塚の発明ではない。先行するマンガ家も使っている。この大ゴマを割ろうとしたとき、「上から下」に読むのでは、平べったいコマにしかならないのである。手塚はここで初めて、見開きで「右から左」に割ることを思いつく（図18）。

図18　見開きにコマがまたがる（Ⓒ手塚プロダクション『私家版ロストワールド』より）

私が調べた、手塚マンガにおける最初の「右から左」のコマはこれである。

見開き二ページを無駄なく使おうとした時、「右から左」が生まれたのである。これで表現の幅が広がると考えた手塚が、コマに番号をふりながら「右から左」を定着させていったと考えてよい。

ここからコマの形は千変万化してくる。表現の方法は、飛躍的に広がり、石ノ森章太郎や大友克洋、宮崎駿などのコマ使いを生み出していく。

タチキリ、見せゴマ

映画でもテレビでも、その画面の大きさをシーンによって変えることはできない。それができるのがマンガの強みである。

タチキリはページの外側の部分にはみ出して描く技法。マンガはコマの大きさに変化を付けられる。これは他の映像表現では考えられない。見せたいコマは大きく描く。それがドラマの強弱を付けるテクニックになっていく。

ページの四方は紙媒体だから、余白である。しかし、ノド（本の綴じ目）の部分を除く三方は、ギリギリまで印刷することができる。タチキリは、ページの端まで描くことで、コマの大きさ以外に〝コマの伸び〟を感じさせるのに役に立つ。

図19でタチキリのあるページとないページとを比べていただきたい。スピードあるいは人物が読者に迫ってくる印象がまったく異なることがおわかりになるだろうか。

また、「見せゴマ」という人間の習性を生かした技法もある。読者はページをめくると、実は見開きの左上部分に目が行く。というのも、その辺りまで目で追ったところで前ページを読み終わるからである。

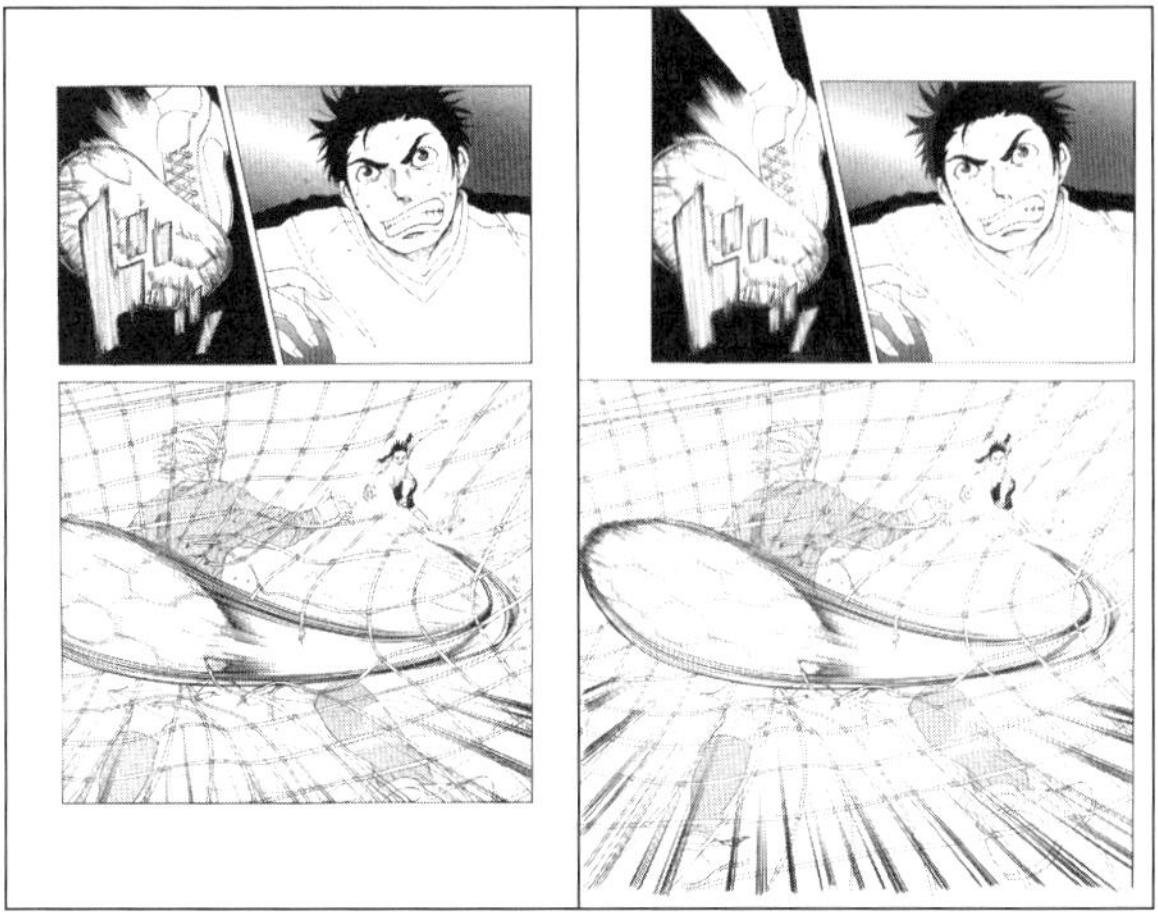

図19　タチキリで迫力を増す（画・上原由香理）

従って、読者はページをめくった瞬間に左上にあるコマで、見開きページの第一印象を持つことになる。

ここにスリル、あるいはサスペンスに満ちたカットを置くと、読者はページに無意識に惹かれるのである。

「あっ」「ヤバイッ」と、次を読みたくなるのである。

その下、左下の部分は、「引きゴマ」と呼ばれている。ここでは、「アッ、どうなるんだろう」と次のページをめくりたくなるように、見開きページの最後で話が切れないように工夫する。ページの区切りのいいところで流れが切れてしまうと、そこで読者が離れる可能性があるのだ。そこでペ

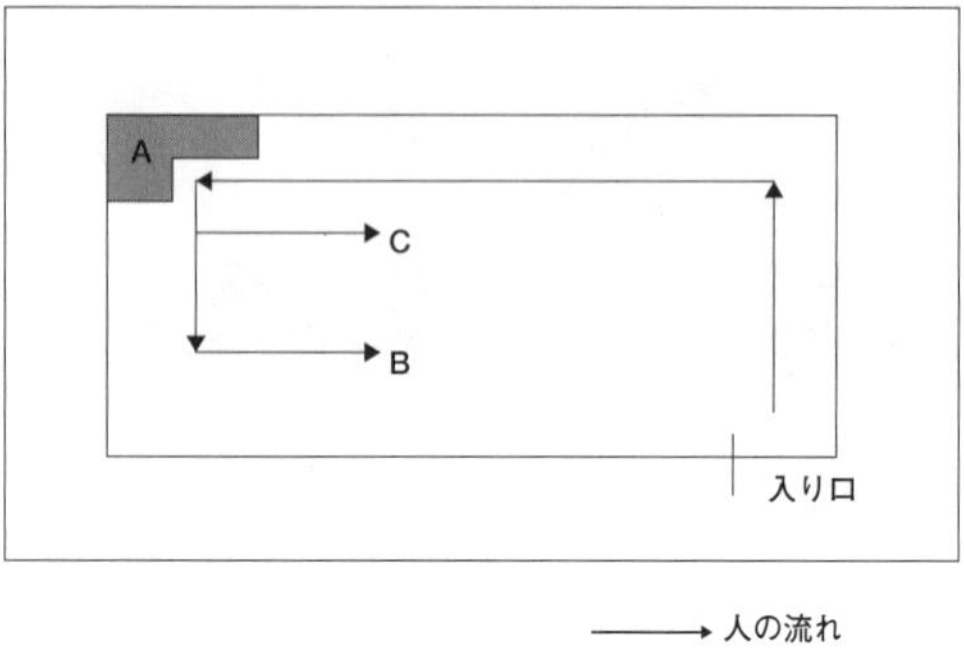

図20　Aのところに「売れ筋」を置く

ージの繋ぎには気を使う。最近のテレビで「衝撃の結末はCMのあと！」とやるのと良く似ている。

こうしたテクニックはマンガだけではなく、スーパー・マーケットなどでも使われている。図20のAの部分には売れ筋商品を配する。入り口から矢印の順序で品物を見た客が、角まできて「もういいか」と見るのをやめるのを止めるためのテクニックである。「もうやめようかな」と思う気持ちが、角辺りで「まだいいものがあるんだ」と変化すれば、次の角まで見続けることになる。ところが、角にいいものがないと、そこで丁度区切りになって、B方向へ行かずに、C方向へと戻り、別のフロアーに行ってしまうことがある。見せゴマはそれと同じ心理を利用した技術なのである。

第5話　日本人は無口なおしゃべり

国境を越えるノンバーバル行動

私は、二十代の頃ジャカルタで、赤ん坊の頭を左手で撫で、その子の母親に怒られたことがある。ジャカルタのあるジャワ島の人は、ほとんどイスラム教徒である。イスラム教徒にとって左手は不浄の手だから、その手で赤ん坊の頭を撫でるなどとんでもないことである。私は、イスラム教徒たちとの交流が実質的に初めてだったので、それがマナー違反であることを知らなかった。

国によって、宗教によって、ノンバーバル行動は異なるのである。

金山宣夫著『世界20ヵ国ノンバーバル事典』（研究社出版）には、世界二十カ国のノンバーバル行動の調査結果が記されている。この本のなかには実に多くの興味深い事例が紹介されていて、私には多くの発見があった。アラブでは男同士が手を繋ぐのは一般的なことである。指をカギ型に立てるのは、日本では泥棒の意味だが、それが通じるのは日本だけであること。中国では「九」の意味。メキシコでは「カネ」の意味がある……。

金山氏が調査した二十カ国（と地域）は、以下の通り。日本・韓国・香港・フィリピン・インドネシア・タイ・マレーシア・ビルマ（ミャンマー）・スリランカ・インド・シンガポール・中国・オーストラリア・アメリカ・メキシコ・フランス・オランダ・サウジアラビア・ナイジェリア・チュニジア。

この二十カ国で、ほぼ全域に通じるノンバーバル行動がある。

「親指を立てる」。これは「よし」の意である。英語の場合は、「Thumbs up!」という台詞とセットになっている。「よし」以外では、日本で「男」。韓国で「ボス」。もちろん、ほぼ全域で「一」の意味がある。

「Vサイン」。これもほぼ全ての国で「勝利」「平和」「二」の意味で通じる。「勝利」や「平和」はテレビ、雑誌の影響が強いと思われる。そもそもはイギリスの首相チャーチルが対独勝利のシンボルとして広めたものである。イギリスでは同じ形で、手の甲を向けると侮蔑表現であった。ところが、それ以外の国でどちらに向けようとも「勝利」の意味になり、今ではイギリスでも混用されるようになった。

「親指と人差し指で丸をつくる」。これも全ての国で「オーケー」「大丈夫」の意味である。「カネ」の意味があるのは、日本、ビルマ（ミャンマー）、韓国、フィリピン、メキシコ。他には「穴」「ゼロ」などの意味が流通している国もある。

「人差し指を口にあてる」。これは殆どの国で「静かに」である。ノンバーバル行動の中でも、とりわけ国際性が高い。

二種類のノンバーバル・コミュニケーション

ノンバーバル・コミュニケーションという研究領域は、主にアメリカで発達している。それは彼らにとって、ノンバーバル・コミュニケーションが大切だからである。アメリカ人は、挨拶をするとき握手を大事にする。愛情表現のキスを忘れない。驚いた時には、ことさら両手を広げ、自分の感情を人に伝えようとする。これらの工夫は、言葉より伝達威力の大きな表現をも動員して、「より伝えよう」とする意思の表れである。

アメリカでは、コミュニケーションの工夫をする教養のある人は、身振り手振りというノンバーバル・コミュニケーションを多用することになる。とりわけ公の場では、その方が訴えが明確になるからだ。

ところが日本人のノンバーバル・コミュニケーションは、そもそもの発想が異なる。その根本原理は、中世の天才能楽師・世阿弥が全てをいい当てている。「秘すれば花」なのである。Aは本当のことを言葉では語らない。Bは「Aが伝えたいであろうことを察する」。その両者の気持ちが通じ合ったときに、「深く関われた」と満足する。

日本には、動きを考える上で対照的な芸能がある。「能」と「歌舞伎」である。武家階級に愛された「能」は、動きが刈り込まれ、表現が研ぎ澄まされている。「小さな変化」に大きな世界を感じ取るのが、見巧者である。

逆に、庶民文化の華である「歌舞伎」は、一般に表現が大きい。能に比べると、約束事が少ないため、教育程度の低い庶民にもわかるように作られている。受け手に知性を要求しない様式をとった、と言い換えてもよい。

芸能という尺度で見ると、日本人のコミュニケーションは次のように考えられる。「言葉を交わさなくても、目と目が合えば理解しあえる」のは文化程度の高い人同士、「多くの言葉を要し、身振り手振りがないと理解しあえない」のは文化程度の低い人同士のコミュニケーションである、と。

もちろん、以上は芸能の「動き」に限定した一般論に過ぎない。能ファンと歌舞伎ファンの知性の話とは、全く異なるものである。歌舞伎ファンの方を低く見ているわけではないので、念のため。

「語らぬ」文化

欧米人にとって、ノンバーバル・コミュニケーションが重要なことはわかりやすい。では、日本人にとって、何故ノンバーバル・コミュニケーションが大切なのだろう。どうして言葉以外の伝達表現を重視するのだろう。理由はわかっている。日本人はそもそも語らない民族だったのである。多くを語ることなく、お互いを理解しようとしたのである。

芳賀綏氏は『日本人の表現心理』（中公叢書）の中で、日本人のコミュニケーションの特徴を、次の八つにまとめている。「語らぬ」「わからせぬ」「いたわる」「ひかえる」「修める」「ささやかな」「流れる」「まかせる」——。日本も欧米も、ノンバーバル・コミュニケーションは大切なのだが、その発展形態が異なるのである。それは文化の特質による。日本人の特質について以下、その芳賀氏の八つの分類に基づいて考えてみる。

まず、「語らぬ」について――。

芳賀氏は、文化人類学者の石田英一郎氏の説を用いてこの特性の起源を説明している。それは弥生式農耕文化の時代に日本民族のコア・パーソナリティ（精神の核）が形成された、という説である。一人で黙々と田畑を耕す農民の相手は人間ではなく、自然である。仕事中に他人とぺちゃくちゃ喋っている必要はない。その結果「語らぬ」文化が出来たというのである。

一方、ヨーロッパでは都市国家や商人社会が早い時期に発達した。人間は人間を相手にするのである。自分の立場を明らかにし、意思を表示しなければ、自分の権利も危うくなってしまう。その結果、愛憎の感情が激しく、表現も強烈にならざるを得なかった。

要約すれば、文化的な土壌がコミュニケーションのスタイルを決定したのである。

ヨーロッパでは、自説を主張するための論理学、修辞学は必須の学問であった。だが、日本では、今でも必須と考える人は少ないはずだ。

芳賀氏は、次のように述べている。明治時代、福沢諭吉が『学問ノススメ』の中で、近代社会において日本人が演説の技術を身につける必要性を主張したものの、結局、それは実現されぬまま今日に至っている、と。諭吉が「語る」必要を唱えてからすでに百年以上経ち、昭和も通り過ぎて平成になり、世紀もまたいだが、いまだに諭吉の時代と状況は変わっていない。

もちろん、今でも日本人政治家の演説技術がヨーロッパより勝っているとは思えない。演説に関しては、開発途上国である。というより、開発しようという気持ちがそれほど強いとは思えない。

「相手に、わからせ、自分を通す」のが、ヨーロッパ流。「お互いに、語らずに、察する」のが日本流。そう考えてよいようだ。

ただし、農耕民族一般が「喋らない」というのではない。アジアの人も、とりわけ赤道に近い人たちは相当お喋りである。日本の中でも大阪人はよく喋る。その喋りが、パブリック・スピーキングではないというだけである。「公」と「私」で分けると、理解しやすい。身内のお喋りなら、ぺらぺらと舌が回るが、人前に出ると、「はなはだ僭越ではございますが」とへりくだってしまうのである。

日本では「相手を説得する技術」「演説する技術」は発達しにくい。逆に考えれば、ノンバーバル・コミュニケーションで扱われる情報量が多くなるのだ。

「わからせぬ」文化

アメリカ人はそもそも多民族国家だから、相手に「わからせよう」とする気持ちが強い。相手にわかってもらわなければ、自分の権利も危ういのだから。

日本人は、わからせようとする気持ちが少ない。テレビの討論番組を見ていても、相手を説得する気があるようには思えない。大声で独白しているだけである。何しろ、数時間を費やして、口角泡を飛ばしても、自分の考えを変えた人は一人もいないのだ。誰も説得していないし、誰からも説得されていない。視聴者は、討論者の数だけある「バカの壁」を鑑賞することになる。

何故、それでもよいのか――。それは、日本にそもそも「わからせなくてもよいのだ」という伝統があるからだ。例えば、西田幾多郎や、小林秀雄、渋沢龍彦、蓮実重彦などの文章を思い出してみればよい。日本の代表的知識人に、わかりやすい文章を目指していない人のなんと多いことか。

政治家の答弁も、不祥事を起こした会社の責任者も、人にわからせる気で言葉が発せられることはない。「頼む。察してくれ」という気持ちなのである。「胸襟を開いて」あるいは「腹を割って」話し合うことが、問題解決の近道だといわれる局面がある。だが、利害が対立している二人が、腹を割って話し合えば、理論上はこじれるに決まっているのである。では、腹を割ることで何が解決するのか。お互いが「この人は信じられる人間だ」と思えるようになる。つまり、問題の本質を解決しようとしているのではないのだ。

この特性を持っていては、「相手にアクションを起こして、わからせる」という行動にはならない。「裸になる」あるいは「隠し事がない」という状態を作って、問題を解決しようとするのが近道である。

相手に「アクションを起こして、わからせて、相手を動かす」ことは日本では困難だ。人を動かすためには、先ず人望が必要だ、ということになる。最近流行の言葉で言えば、カリスマ性である。では、カリスマ性とは何か、といえばそれも定義は曖昧だ。

日本には「腹芸」という言葉もあるくらいである。アクティブに動いて相手に多くの情報を伝えようとする意思はそもそももっていないのだ。

「いたわる」文化

ある人物が、心や身体に傷を負っている場合、その話題には最初から触れないでおこうという、暗黙の了解ができる。NHKの『のど自慢』では、音痴の出場者に対して、司会者は「音が外れていました」とはいわないものだ。「元気が良すぎましたね」と励ます表現になる。老人は何度も同じ話をするものだが、聞き手はその話をさえぎることなく、最後まで聞くことが多い。それら「暗黙の了解」を、我々日本人は「目配せ」以前の、「形に表れないノンバーバル・コミュニケーション」で完成させていく。「気配のようなもの」といってもよい。日本の社会では重要なノンバーバル・コミュニケーション手段である。「察する」とセットになっているのだが、この感覚が欠如している人は「間が悪い」といわれて敬遠される。

「いたわる」という視点で、もう一つ——。

私たち日本人は、相手の欠点を指摘して、わからせようとする習慣が少ない。人前で恥をかかせては、逆効果だという認識を持っている。誇りを傷つけられると、テコでも動かない人がいるからだ。

私が、物語を作る時、腐心するのもそういう状況の作り方だ。主人公が自分の考えを変える瞬間がある。多くの場合、それは問題解決の糸口となる感動的なシーンである。

誰かに、原則論で説教をされ、それで主人公が気付くことはありえない。説教されれば、人は反発しかしない。

だから親友や上司などが発する主人公を変える一言は、一見、主人公の問題点とかけ離れたものでなくてはならない。親友や上司の、何気ない一言を媒介に、主人公は「自分で気付く」のである。あるいは、主人公は、自然現象の中に真実を見つけ、そこに問題解決の糸口を発見するのである。

ニュートンのリンゴや、アルキメデスが風呂のお湯で気付いたような大発見ならいざしらず、我々の日常生活で気付くことは、大抵、答えがわかっているようなレベルのことである。「相手の気持ちもわかってあげなきゃ」程度だったりする。それでも、登場人物は、他人の助言からその結論には到達しない。「たまたま」見聞きしたことから、自分で結論を導かないといけない。自分で気付いたことのみが、「自分の実になる」という発想がある。

少年マンガの基本パターンとして「みそっかすの手柄がなければ必ず失敗していた」という局面がよく使われる。弱小チーム「ビリーズ」を舞台とするサッカーマンガがあるとしよう。ビリーズのスター・AとBは仲が悪い。対立ばかりしている。が、二人が全力を尽くしても、ビリーズは強豪チームに負けそうになる。普段、二人の足を引っ張ってばかりいたみそっかすのCは大事な局面でミスをする。絶体絶命である。が、AとBはそのミスをとがめることはない。というのも、困難打開のヒントを見つけるのである。

Cの偶然のアシストがあって、AとBは力を合わせ、強豪チームを下すという幕切れが少年マンガの基本である。

まず、Cをいたわるという思想がある。次に、AとBに発想の飛躍があれば、絶体絶命の局面も、力を合わせて克服することができる、という物語作りになっている。

それはマンガの世界だけだとは笑えない。対決では解決しない問題が、力を合わせることで解決するという世界観を、日本人は持っている。

だから、アクションを大きくして、相手を説得すること、一方的に自分の論理に相手を組み入れることに情熱を燃やさないのである。

「ひかえる」文化

農耕民族は、基本的には強い自己主張をしない。田畑を耕し、そこにより多くの愛情を注ぎ、手を加えることで、生活の向上が得られる。こうして、大人しく、控えめな基本性格ができていく。儒教の「謙譲の美徳」が入って来なくても、謙遜をする国民性は持っていたと思《おぼ》しい。

我々日本人は、欧米人をずうずうしく感じることがある。欧米では自分の長所を並べ立て、「売り込む」ことは恥ではない。売り込めない人は、認めて貰えない社会なのだ。日本人が自分の長所に触れなければならないときには「自慢のように聞こえるかもしれませんが」などと予防線を張り、自慢話が鼻につかないよう工夫するものだ。

時代劇では、大名行列が通ると、町民は地面に土下座をする。身分の違いを、ノンバーバル行動で伝えているのである。女性の和服は、なで肩に見えるように着付けをする。これも男性中心の封建社会では、女性は「ひかえる」ものだった名残りといえる。

「ひかえる」文化を考える上で、「憎茶」という興味深い習慣がある。封建社会では、女性は低い立場にいた。妻は、自分の嫌いな客が来ても、夫の顔を潰すことはできないから、茶を出さなければならない。そんなとき、妻は、熱い茶を湯呑みになみなみと注ぐ。そうすれば茶碗は熱くなり、手で持てない。客は茶を飲みたくても、冷めるまで呑むことができない。意地悪といってもいいが、しきたりに逆らうことのできない夫人の、ささやかなレジスタンスと考えるべきだろう。

「憎茶」を通じて、夫人は「あなたが嫌いです」と伝える。客は「俺は嫌われているのか」と察する。

京都には「そろそろお引き取り願えませんか」というサインの「ぶぶ漬け」という習慣もある。

言葉より伝達力を持った日本独自の表現方法である。声高に主張することができない、立場の弱い人々から発せられるノンバーバル行動には、はっとさせられるものがある。

「修める」文化

これも農耕民族特有の性癖である。自分を田畑に見立て、掘り下げることで、価値を高めようとする。

柔道、剣道、茶道、華道――。「道」の付く日本文化は、全て「修行」という考え方で貫かれている。

テレビで、こんなドキュメンタリー番組を見たことがある。日本一の実力を持った剣士が、スランプに苦しむ。彼は、最後には「無心」という到達点に至り日本一になるのだが、スランプ脱出のために初心に帰ろうとする。そして、毎朝、広い道場を一人で雑巾がけするのである。彼が、日本一になったときの笑顔と、毎日雑巾がけをしている修行中の顔が、オーバーラップし、見ている方は胸が熱くなる。いかにも、日本人好みのつくりだ。個人競技の場合、こういう一見合理性のない修行から、何かを得ることもあるというのも真実なのだろう。

大切なことは、日々反復されなければ忘れてしまう。宗教において毎日お経を唱えたり、聖書の一節を朗読したりするといった行為は、人間の性癖を考えれば、当然行われるべき動機付けである。

その動機付けは、身体を使ってなされる方がよい。演劇の稽古では、台詞は頭だけで覚えるより、「動き」とセットにして覚えたほうが、遥かに効率がよい（個人差はあるが）。日本には「日めくり」がある。「修める」文化を形にしたのが、「日めくり」であろう。日めくりには、必ずといっていいほど「格言」や「教訓」が書いてある。基本的には、「そう生きられたらいいな」と思えるような、いい言葉ばかりである。毎朝「日めくり」を破るという動作が、日本人の「修める」文化を象徴しているように思う。

もちろん今の日本では、田舎でなければ、柱にかかった「日めくり」を見ることはないが。

「ささやかな」文化

日本人がささやかなものを愛することは、もはや常識である。枯山水や盆栽など、小さな空間を宇宙に見立てる性癖。短歌や俳句など、極端に短い短詩形文学。一食で多くの食材を少しずつ食べる懐石料理。夏には相変わらず線香花火が愛されていること。ウォークマンや電車の中で聞く携帯ラジオなど、便利な機械を小さくする技術。歌舞伎の大作が、通し狂言ではなく「名場面」だけ上演されたりすること。

小さな空間に宇宙を、ほんの一瞬の時間に永遠を感じとろうとする傾向が、日本人にはある。

板坂元は『日本人の論理構造』(講談社現代新書)にこう書いている。

「キリスト教の伝統のなかでは、永遠こそが大事であって、瞬間というのはそれほど重大な意味をもたない。しかし、日本では瞬間というものがもつ意味は大きい」

例えば、先述の俳句。本来、強意の役割を持つ「助詞」を「切れ字」とし、読み手は、その後に時間的・空間的広がりを感じる仕組みになっている。「古池や　蛙飛びこむ　水の音」の場合。「古池や」の「や」という切れ字の後に、「間」を感じ、読み手は、池の空間的な広がり、静けさを想像するのである。

したがって、伝達するのに「大きな動き」を重視しない。ノンバーバル・コミュニケーションは「微妙な動き」が重要になってくる。

この国には、箸の上げ下げから、ドアの開け閉めに至るまで、たくさんの「躾」がある。近年は、かなり崩れてきたが、「ささやかな動き」に対する配慮のある俳優と、ない俳優では、演技を付けていても、差があることを実感する。やはり、伝統芸能出身の役者は、動きが磨きこまれ、隙のない演技ができる。

たとえば、歌舞伎役者が「脇にいる人間を見る」という場合、最初に顔を動かすことはない。先ず、黒目の部分だけを、対象の目に向ける。黒目は両方とも、白目の端っこに移動する。次に、顔を対象に向ける。すると、黒目は白目の中心にくる。この手順を踏むと、「見据える」という印象が強くなる。観客は、先ず、役者の目の移動を見る。次に、顔の移動を追う。「人を見る」という「一つの動作」に、微妙な二つの動きが連なって起こるのである。音楽の記号で言うなら、「スラー」（異なる音階の音符に、流れるように移動する演奏）に近い感覚である。

「流れる」文化

諸行無常は、日本人の根幹をなす心性である。物事は常に変化する。いつまでも同じ状態で変化しないものは、この世に一つとしてない。

私のよく知っている国でいえば、フィリピンは日本より、諸行無常の気分が強い。フィリピンでは台風や火山の噴火などの、自然災害が多い。強大な自然現象に対する無力感は日本人より強いと思われる。ただし、フィリピンはアメリカ文化の影響が強いし、それ以前に長い間スペインの植民地であったために、コミュニケーション時のアクションは大きい。

「流れる」文化は、自分を主張する必要性を減衰させる。平均的日本人は、頑張っても頑張らなくても、結局同じという感覚を持っている。大企業や、役人を交えた会議に出ると、発言しても発言しなくても結果は同じだな、と思えるものが殆どである。

政治の流れを見ても、「保革逆転」や「自社連立」など、歴史的な局面に遭遇したのかと思いきや、今では何も変わらなかったという実感が強い。『朝まで生テレビ！』という番組で、「米輸入の自由化」を巡って、口角泡を飛ばして議論していた評論家たちは、今では何事もなかったかのごとくに、別の話題に終始している。

日本人は、ことを荒立てなくても、結果は同じという意識が強い。やり過ごせるなら、その方がいい。この心性から生まれる、ノンバーバル行動は基本的に少ない。

学校の教師にこんなことを聞いた。発言したいが、恥ずかしくて手が挙げられない生徒がいる。教師が、その生徒に発言を促さなければ、「言いたいことがある」という気持ちは流れていく。それでも、困ることはない。が、優秀な教師は机の上に置かれた、その生徒の手に着目する。「何か言いたい」という気持ちが、生徒の握りこぶしに力を込めさせる。その手の動きに気付いた時に、教師は生徒に発言を促す。教師と生徒の「阿吽《あうん》の呼吸」が一致する瞬間である。私はこういうコミュニケーション能力を、知的だなと感じる。本来、流れてしまうものを止めてくれるのだ。

言いたいことがあったら、ちゃんとわかるように言いなさい、と教えても、この国では効果は薄いのではあるまいか。見渡せば、周囲には、言っても仕方のない人だらけではないか。

芳賀氏は、以上の七つに「まかせる」文化を加えて、日本人の思考の特徴としている。

まかせるとは仏教のことばでいえば、「南無」につながる。「南無」は「おまかせします」と理解すればわかりやすい。「南無阿弥陀仏」といえば、「阿弥陀様に全ておまかせします」ということなのだ。お経を唱えないような日本人にもこの仏教思想は、根強い影響を与えている。一心に念仏を唱えれば、浄土に行けるという教えだと、他者と繋がらなくても、宇宙（世界）と繋がれるのだから、人間相互のコミュニケーション力は落ちてくる。

逆に、現代のように人間同士のコミュニケーション力が高まると、現世への執着も強まることもあり、大乗仏教は劣勢といえそうだ。

第6話　色と匂いに出でにけり

色の力

全身ピンク色で統一された中年男性を見かけたら、どう反応するか。それが電車の中であったら、ちょっと距離を置きたくなるかもしれない。デパートの屋上であれば、林家ペーさんが営業に来たのかなあ、と思って覗いてみるかもしれない。

サラリーマンならば、グレイや茶系のスーツを身につけていれば無難だろうし、逆に真っ白のスーツを着ていれば、「俺はタダのサラリーマンではない」というメッセージを全身から発していることになるだろう。色もまた、ノンバーバル・コミュニケーションにおいては大きな要素である。

私のように、演劇とマンガにまたがって仕事をしていると、「色の不思議」を突きつけられることが多い。

演劇の場合、衣装や照明の色は「世界」を決定することがあるから、その選択には慎重にならざるを得ない。私は、一九四七年の横浜・中華街を舞台にした戯曲を書いたことがある。登場人物のほとんどは在日華僑である。本国では、国民党と共産党が内戦を繰り返していた。私は、この芝居で、国民党支持者には緑の衣装を、共産党支持者には赤の衣装を着せた。中国を「緑」の大地と見立て、新興の共産主義者を「赤」で色分けしたのである。現実には、そういうことはあり得ない。だが、そのお陰で、くどくどと説明を要することなく、観客は登場人物の立場を理解したのである。

舞台では、夜のシーンは「青」の光を使う。青は「月光」の色である。照明機材にかかっている「青」のフィルターだけを見ても、夜のシーンを作っているとは思えないが、役者の肩に青い光が当たっている様子は、まさに夜の感じなのである。

マンガはなぜモノクロか

さて、日本のマンガは、基本的に墨一色である。白い紙に黒いインクの一色刷りである。これは珍しい現象である。

アメリカやフランスのコミックはカラー印刷である。外国では、コミックが芸術作品として評価されるケースもあり、カラー印刷は自然な流れなのだろう。

では、何故日本のマンガは白黒印刷なのか——。それは、少年マンガが昭和二十年代に雑誌の形態で大量印刷されたことによる。当時は、活版印刷だから、白黒とカラーでは印刷代が大幅に違う。マンガは大衆向けの娯楽だから、出来るだけ安価に流通させたい。そこで、白黒が主流になったのである。

もちろん、アメリカやフランスも、活版で白黒印刷をした方が安く済んだはずである。だが、彼らはカラー印刷にこだわった。恐らく、芸術を白黒で楽しむ伝統を持っていなかったのであろう。彼らにとってエッチングなど白黒の芸術作品は、カラーの油絵に比べると見劣りがするものだったのではあるまいか。

だが、東洋には水墨画の伝統があった。墨一色で描かれた芸術を評価し、鑑賞する土壌を持っていた。マンガが白黒で流通するようになった理由は、それであろうと私は推測している。

実際、日本は世界最大のストーリーマンガの生産国である。日本のマンガを大量に翻訳出版しているのは韓国と台湾である。つまり、日本の白黒マンガを最も抵抗なく受け入れている二国は、墨絵の伝統を持っている国なのである。

日本でも、たまに豪華本としてオールカラーのマンガが出版されることがある。そういうマンガは読んでいて、「もたもたするなあ」と私は感じる。マンガは読むテンポが大事である。コマの中の、ポイントの部分は描き込んでも、周辺の省略してもいい部分は適度に端折《はしょ》って貰った方が、読者は自分流の心地よい「読むリズム」を作りやすい。

つまり、水墨画の持つ「省略の美」が、マンガ読者の鑑賞眼に適しているのである。ところが、マンガをオールカラーで描いてしまうと、マンガ家はどうしても描きこんでしまう傾向がある。読者のピントの合わない部分は、さらっと描き流して欲しいのだが、マンガ家も色付きの絵筆を持つと、描きこみたくなるのだろう。結局、筋運びの遅いマンガができることになる（もちろん、カラーなりのよさのあるマンガもあるが）。

色のメッセージ

人間は目以外でも色を感じる。例えば、三重苦で有名なヘレン・ケラー女史は、視力を失っていたが、色を感じることができたという。目以外でも、色を感じる仕組みがあるようだ。人間は指先や舌でも色を感じる。実際、人に目隠しをして、周囲の色を様々に変えると、見えているときと同様に筋肉が反応したという実験結果もあるという。私たちは、目かくしをしても病室にいるのと、コンビニにいるのでは居心地が違うのではあるまいか。空調や照明などの条件を同じにしても、感覚的に「色の違い」に気付くように思う。

人間は色を感じる。次に、色に名前を付けて区別する。この二つは異なった営みである。例えば、イヌイットには「白」が数十種類あるという。有名なことだが、虹の色は日本は七色。英語圏では藍色がないから、六色である。

そうやって、区別をした色は人間に感情を引き起こしたり、制度の中で意味を持ったりするので、メッセージ性が宿るようになる。

道路標識では、「赤」は禁止、「黄」は注意である。我々は車を運転中、「赤」の標識を見ると、反射的に「〜してはいけない」というメッセージを受け取る。「黄」は「待てよ」である。

古代中国の「陰陽五行」では、地球を構成する五元素に「色」を与えていた。木（青）、火（赤）、土（黄）、金（白）、水（黒）である。日本の古代律令「冠位十二階」では、冠の種類によって、朝廷の中の席次を示していた。徳、仁、礼、信、義、智にそれぞれ大小が設けてあった。これを紫、青、赤、黄、白、黒の濃淡で色を分けていたのである。

日本では色のイメージも中国の影響が強い。陰陽の五元素に「紫」が加わったのは、「紫」の衣を高僧が着るという仏教からの影響だろうか。

騒色公害

一九八一年に都営バスの車体の色に関する論争が起こった。その頃都営バスの色はアイボリーにスカイブルーの帯がついたものだった。都の決定でこれを「明るい黄色」に「えび茶色の帯」を配したものに変えることになった。

三〇〇〇台近くが塗り替えを終え、都内を走り始めた時のこと。東京芸術大学の小池岩太郎名誉教授と日本色彩研究所の細野尚志理事長から待ったがかかった。理由は主に二つ。不快感を与える色だから、首都の公共機関の品と美観を損なう。また、黄色は注意を促し、赤は危険を表す色だから、その系統で描くと、人々の危険色に対する感覚を麻痺させ、かえって危険である。「騒音」ならぬ「騒色」という言葉が新聞に登場した。

鈴木都知事（当時）は、交通局に再検討を指示。そして都営バス色彩懇談会が設置された。メンバーは岡本太郎画伯ら八人の専門家。一方、小池氏たちも「公共の色彩を考える会」を結成した。都民が、街並みの美観と色について、初めて取り組んだのである。その結果翌年に、上下が白で、真ん中に幅の広い緑色という案が支持され（五七％）、それをもとに都営バスは新たにデザインされた。

騒色論争が起こったのは、一九八一年のことである。黄色は注意を促し、赤は危険を表す色だから、バスをその色で塗れば、人々の黄や赤に対する注意力が減衰するという意見は、もっともであるといえる。ところが、その指摘は、二十年後の現在生かされているとはいえない。

今街中には、コンビニやファーストフードの店が立ち並んでいる。それらの店は、遠くからでも目立つように赤と黄色で配色されたものが多い。われわれ現代人は、すでに危険色に対する感覚がマヒしているといってもいいだろう。

目立つ色、目立たない色

流通業界では売れ行きに直接関係するので、色の研究が盛んだ。

たとえば、「その会社といえばその色」という具合に、「パーソナルカラー」を鮮明にしている会社がある。コカ・コーラの赤などは、特に成功している例。また、ダイエーのオレンジ、ファミリーマートの緑と青も一般に認知されている。コカ・コーラ、ダイエーは、「目立つ色」で勝負しているが、ファミリーマートは、他のコンビニが「目立つ色」で勝負しているから、対照的な配色で、逆に目立とうとした戦略である。

食品業界には「タブー色」がある。青がそのひとつだ。同じするめを「赤い袋」と「青い袋」に入れて売ったら、後者が売れ残ったということがあったらしい。食品の包装には、あまり青は使われない。もちろん、例外もあってスーパーの食品コーナーで、青が目に付くのは、牛乳である。牛乳は、そのものの色である白、牧場の緑、空の青をイメージしたためか、白と緑と青の配色が多い。同様に、乳製品であるヨーグルトも青が使われることが多い。そんな牛乳売り場で、ひときわ目を引くのが、赤いパッケージの「メグミルク」である。不祥事を起こした食品会社が再出発の後、新たに打ち出した商品である。最初は「牛乳と赤」の取り合わせに違和感を持ったが、そのうち目がなれてきた。同じような反応の人が多いのか、この斬新なパッケージは今でも生き残っている。

売れる色を引き立てる「捨て色」がある。商品が派手で目を引く色ばかりだったら、かえってアクセントがなくて、客が迷うから、「明らかに駄目に見える色を混ぜておく」

という方法である。

赤やオレンジ色のヤカンは、キッチンを楽しく見せる暖色である。メーカーはこれを売りたい。そのために、赤やオレンジを引き立てる黒を商品の中に混ぜておく。人気薄の黒に引き立てられて、「よりよく見える赤やオレンジ」を客は選ぶのである。

赤い公衆電話が消えた理由

私たちが子供のころは、公衆電話の色は赤と決まっていた。遠くからでも見えるためには、目立つ色が最適だったのだ。だが、やがてピンク電話の数が増え、それが緑色に変わり、現在ではほとんどの公衆電話が灰色である。

理由は、公衆電話が目立たなければならない時代が終わったからである。かつては必要不可欠だったから、最も目立つ赤である必要があった。しかし現在では、ほとんどの人が携帯電話を持っているため、公衆電話はどこも赤字である。当然、街角からつぎつぎと消えていく。

人を引きつけようとするものは派手な色を好み、振りかえられなくて済むようになれば、だんだん地味な色に変わっていくのは、人間ばかりではないようだ。

今駅前ではどこも赤や黄色の看板が氾濫している。しかし、かつての公衆電話のような真っ赤はほとんどない。危険色である真っ赤を使っているのは、ポストと消防自動車ぐらいではあるまいか。居酒屋の看板の赤も、よく見ると消防自動車の赤とは少し異なる。かつての赤ちょうちんよりは派手だが、危険色と呼べるほどの強烈な赤ではないものが多い。多少オレンジがかっていたり、少し爽やかな感じの赤が使われていたりする。飲食店のオーナーたちにも、客を引きつけたい気持ちは山々だが、えげつない赤は使いたくないという気持ちがあるのだろう。

荷物を軽くする色

ある倉庫で、荷物を金属製の黒い箱に保管していたところ、作業員たちから苦情が来た。運ぶのに背中が痛むというのである。そこで箱を緑色に塗り換えた。すると作業員は、荷が軽くなったとコメントしたのである。見た目の色は、重さの感覚にいたずらするのである。

心理学にこんな実験がある。二つの箱を用意する。ひとつは青、もうひとつは濃い茶色に塗る。被験者にどちらか一つを運ぶように指示する。すると被験者は例外なく青い箱を選んだ。理由は、青の方がより軽そうだと判断したからである。

　ドイツではこんな調査が行われている。子供の遊戯室の内装の色と知能指数の関係を調べたのである。子供たちを二つのグループに分け、一つは明るい色を使った部屋、もうひとつは白と黒と茶に塗った部屋で遊ばせたのである。明るい色を使った部屋で遊んだ子供たちの知能指数は十二点上昇し、白黒茶に塗った部屋で遊んだ子供は、十四点も下がったのである。

　荷物の色は作業効率を変えることもあり、部屋の色が知能指数に影響を及ぼすこともあるのである。

　私はかつて、「病院に絵を贈る運動」というボランティア活動をしたことがある。アメリカ人のイラストレイター、ジョン・ファイト氏が発案したもので、大病院にある巨大な白い壁に壁画を描くのだが、ファイト氏が黒い線で輪郭だけを書き、入院患者が塗り絵の要領で色を埋めていく。この運動は、入院患者全員が力を合わせて一枚の絵を描くということに意義がある。

　私はファイト氏になぜこのような運動を始めたのか訊いた。彼はこう答えた。

「病院に来る患者は、必ずどこかが痛いんだよ。でも、待合室に一枚でも絵があれば、それを見た瞬間『あっ、きれいだな』と一瞬でも思うだろう？　人間は『きれいだな』と思った瞬間には、痛みを忘れるものなんだよ。なぜなら二つのことを同時に思うことはできないからね。絵があれば、一秒でも〇・一秒でも、痛みが忘れられるんじゃないかと考えたのさ」

色のイメージ

このように色にはそれぞれにイメージがあり、それがメッセージともなっている。そのイメージを整理してみよう。色の特性についてはさまざまな分け方がある。

「寒色」と「暖色」という分類は有名だ。青や白など氷を連想させるものが寒色。赤、橙、黄など太陽や火などを連想させるものが暖色である。

「軽い色」と「重い色」という分け方もある。明度の高い明るい色は、軽く見える。明度の低い暗い色は重く見える。劇場の緞帳などは、重々しく見える色が使われる。逆に、カジュアルな若者向けのペンションのカーテンは軽い色になる。

「興奮色」と「沈静色」という分け方もある。赤やピンクなど暖色系で彩度の高い色は、人に興奮感を与える。反対に、緑、青、紺などの寒色系で彩度の低い色は、沈静効果があるといわれている。

さらに「進出色」と「後退色」で区別する人もいる。暖色系の色や明るい色は進出性が高い。寒色系や暗い色は後退性が高い。

また、色それぞれにも個性がある。「はじめに」で紹介したヴァーガスは『非言語コミュニケーション』で、以下のような分類をしている。

赤のイメージ——攻撃的・火・勇気・愛国心・怒り・血・危険
青のイメージ——清い・朗らか・冷静・内気・悲哀・失望
黄のイメージ——親切・陽気・不快・日光
緑のイメージ——平和・新鮮・若さ・繁栄
オレンジのイメージ——元気・騒々しい・実り
紫のイメージ——威厳・孤独・勝利・権威・熱情・追憶・悔悛
白のイメージ——優美・上品・冷たい・純潔・無邪気・貞節・希望
黒のイメージ——厳粛・深遠・神秘・悲しみ・夜・死・邪悪

もちろん、これだけが全てではない。だが、連想ゲームをしてみるとこんな感じになるのではないか。

私たちは、色の好みでその人に特定のイメージを持ってしまうことがある。逆に、着る服の色でイメージを作ろうとすることがある。

「赤」は服の色としてはかなり強い意味を持つ色だと思う。活動的で積極的であろうとする姿勢が赤を着せる。活動的、積極的でありたいと願っているということは、実は現状はそうではない場合が多い。つまり、積極性に欠けるという自覚を持っているのだ。肥満体の人が真っ赤なTシャツを着ていることがある。肥満なのだから基本的に動きは俊敏ではない。活動的ではない人である。しかし、そうした自覚があるということは、客観性があるともいえるわけで、私の見るところ気配りの細かい人が多いように思う。

化粧が生む自信

人体の色を次々と変える、それが化粧である。

演劇の場合、大劇場でやる場合は、メイクが濃くなる。鼻筋を立てるために、濃い影を付ける。目を大きく見せるために、オーバーなアイシャドウをする。楽屋で見ると、これが日本人の顔かというほど、派手なメイクをする。客席から見える役者の顔が小さいのだから、インパクトを持たせる必要がある。だから、メイクは必然的に濃くなる。

一方、小劇場のメイクは、ナチュラルメイクに近い。お客が、舞台の数メートルに迫っているため、オーバーなメイクをすると、観客にインパクトを与えすぎる。

メイクの勘所は、舞台と客席の距離によって変化する。演劇の学校で教えていると、発表会のときなど生徒は、時にオーバーなメイクをやりたがる。私が「客席が近いのだから、もう少し控えめに」といっても、なかなか聞こうとしない学生がいる。理由は、役に「化けたい」のである。自分以外のものになりたいのである。

精神分析の世界で、ドラマ療法というのがある。役を演じることで、少しずつ心を解放していく療法である。自分以外の人間になることで、自分という呪縛から解放される。

私たちは、自分という呪縛から逃れられれば、かなり大胆になれる。

役者にとって、メイクは自分以外のものになるのに重要な手段なのである。だから、経験の浅い演劇学校の学生には、ある意味で「濃いメイク」は有効である。

大胆になるために、自信を付けるために、メイクは有効といえる。

数年前、若い女性に「ガン黒」という特殊なメイクが流行った。ガン黒のメイクをする女性は、一般的には、あまり美しくない女性が多いといわれた。

美人ならば、化粧品メーカーのモデルがやるようなメイクが似合うのである。だが、美人でない人が、お手本のようなメイクをすると、かえって不自然になってしまう。ところがガン黒という、逆を行くようなメイクなら、やりすぎてもおかしくない。私は、面白い現象だと思った。目鼻立ちのよくない女性が、ガン黒で自信を持って街に出ている。そうやって、自信を持つ方法もあるのだな、と。

日本のメイクは美を追求しない

化粧は「女性を美しく見せるための道具」である。

だが、果たしてそれだけだろうか。

日本では、あまりメイクをしない女性にとって、「最低限のメイク」は、ファンデーションと口紅である。「ファンデーションと口紅」というメイクの女性は、自分を美しく見せたいと思っているのだろうか。答えは、否である。身だしなみとして、「恥ずかしくない状態」を作っているだけである。このメイクの中には、「世間体意識」がある。

だが、欧米にはそういうメイクはない。ポイントメイクアップが主流なのである。アイシャドウ、口紅、頬紅……。その部分を際立たせるメイクとなる。個性を出すメイクと考えてよい。

「ファンデーションと口紅」という日本的なメイクが何故生まれたのだろうか。顔に白粉を塗るというメイクは、古代からあった。『古事記』で有名な天の岩戸が開く場面で、「あなおもしろ　あなたのし」といった時の「おもしろ」は「面白」に通じる。おめでたい局面で、顔には白粉が塗ってあったのである。白は、繁栄の色でもあるし、神主も白い服を着ているのだから、顔を白くするのは、不思議なことではない。

顔を白くするのが身だしなみになったのは江戸時代からのようだ。夫に顔を見せぬよう、夫より早く起きて化粧をするのが妻の努めという考え方が定着してきた。自分の楽しみ、あるいは、美しくなりたいという欲望からだけでなく、社会の要請としての化粧があったのである。

そこに口紅が加わる意味とはなにか。顔を白く塗ると、やはりアクセントが欲しくなる。口紅と頰紅は飛鳥時代からあったようだ。今でも同じことで、ファンデーションだけでは変だ。だから、最低限のアクセントとして、口紅を塗るのだ。

「ファンデーションと口紅」というメイクは、美しく見せる手段ではなく、日本的な「身だしなみ」なのである。

匂いの力

『ナビィの恋』という映画は沖縄を舞台にした老人の恋の物語である。そのなかにこういうシーンがある。主人公の老人二人は思春期に恋をした仲である。ある事情で結ばれなかったが、老人になって再会する。二人は思い出の場所で抱擁し、老女がこういう。

「あなたの匂いは昔と変わっていません」

六十年近く前の二人の感情が、匂いで蘇るという印象的なシーンである。

私たちの五感を考えると、視覚が最も情報量が多く、嗅覚の情報量は最も少ないと考えられる。だが、嗅覚は人間の感覚のとても深い部分と結びついているようだ。

地方を歩いている時、夏草の匂いが鼻をつく。そんな瞬間に、子供時代に遊んだ畦道の景色が突然蘇ってくる。

沖縄のマーケットを歩く。肉が並んでいる場所を横切ると、私がかつて住んでいたフィリピンのマーケットの肉売り場での光景が、鮮やかに蘇ってくる。これもきっかけは市場特有の匂いだ。そんな経験を持っているのは、私ばかりではあるまい。

サケは、産卵をするために母川に帰ってくる。どうやって、故郷の川を探し当てるのか。それは、川の匂いであるらしい。匂いを頼りに故郷を探し当て、自分が孵化し、稚魚として育った場所に戻って産卵し、生涯を終える。

匂いには、まだ人間の科学が及びもつかない力が隠されているようだ。

匂いのない恋

私が中学生時代に、同級生の女の子が、リンスを使い始めた。私たちの世代の男にとって、リンスの匂いが、女の子の匂いであり、初恋の記憶である。日本でリンスが一般化したのは、昭和四十年代ではあるまいか。

初恋に限らず恋愛は匂いと無縁ではない。近しい関係になれば、自然とお互いが、自分の匂いを相手に知られてもいい距離になるのである。

最近は、ネット上のみでの恋愛もある。匂いのない恋愛である。体臭のようなものを感じることのない恋愛は、私には頼りないもののように思える。

私たちが子供の頃は、便所は汲み取り式だった。便所は「臭くて当然の場所」だった。だが、今では、「臭くてたまらない場所」は家庭のどこにも無いのだ。今、匂いは家庭から、どんどん消えつつある。つまり、生活の中で、匂いの占める割合がどんどん減っている。とするなら、恋愛の中に匂いが入り込まなくてもよくなっていくのだろうか。

昭和三十年代までの日本の家には、匂いが溢れていた。家畜がいた。肥溜めがあった。虫や小動物が家の中に入り込んでいた。台所には冷蔵庫がなかったから、果物や野菜の匂いがあった。それ以前に、木造家屋特有の、家の匂いがあった。

戦争経験者の話を聞くと、空襲に遭ったときの町の匂い、死者の匂いなどを鮮明に覚えているという。

それが、水洗トイレの普及により、匂いは家の中から、急速に消えていった。

また、テレビの普及が、「情報の中にある匂い」を奪っていった。家庭に入り込む情報の中で、テレビの占める割合は極めて大きい。ところが、テレビは膨大な情報を送る力を持っているが、匂いという情報を送ることができない。

我々は、テレビを通じて、戦争の映像を見ることができるが、戦争の匂いを嗅ぐことはできない。つまり、匂いを知ることなく、戦争が分かったつもりになるのである。

水洗トイレとテレビの延長線上に、ネット上の恋愛があるように思えてならない。

第7話　良い間、悪い間、抜けてる間

タイミングは伝える

話しかけるタイミングの悪い人が増えた。彼らは呼吸が上手くつかめないのである。私は、これはネット社会の影響だろうと考えている。

電子メールは便利である。メールのお陰でビジネス関連の時間、特に伝達事項にかける時間が随分短縮された。こちらは、時間の余裕のある時にメールを書けばよい。相手も、時間の余裕のあるときに読めばよい。自分の都合、相手の都合、双方に利益があるのである。

これを繰り返しているぶんには、相手の都合を考えなくてもいいのである。自分の都合のいい時に「伝達」が済んでしまう。ということは、相手の様子を読むトレーニングを積まなくなる。相手の呼吸に合わせるという感覚がなくなっていくのである。

電話は、こちらか、相手か、どちらが忙しくても伝達を簡略化させたくなるものだ。だが、それをぐっと堪えて相手を察する。相手の真意を汲もうとする。それが相手の呼吸を摑むトレーニングになる。

だから電話がいいとはいわない。私も電子メールは便利だと思う。もう、これがなくてはビジネスは前に進まない。しかし、単純に便利な社会になったとも思えないのである。タイミングという概念は「自分中心」の人には必要ない。アルバイトの面接などをしていると、「これほど自分中心の人が増えたのか」と暗澹たる気持ちになることがある。

よく批判の的になる「私って○○じゃないですかぁ」という若い人に多い物言いも、そうした「間が読めない」ことと共通しているのではないか。そこから延々と自分の興味を語られても、こちらは困るばかり、ということがわかっていないのだ。もちろん、そういうタイミングが読めない人を私は採用しない。

間の伝達力

「間違い」「間に合う」「間抜け」「間が悪い」「間が良い」……。

日本語には間の大切さを教える言葉がたくさんある。

私は演出をするとき、役者に「一間置いてください」あるいは「半間置いてください」と言うことがある。

次の台詞を観客にきちんと伝えたい場合は、その直前に一間置いて貰う。一間というのは、ゆっくり息をする時間である。役者がゆっくり息をすれば、その時間が間になり、観客は、次にどういう台詞が出てくるのだろうと、気持ちを乗り出して聞きに来る。次を想像すると言い換えてもよい。

「半間置いて」というときは、一間置くと、くど過ぎると思うときである。客にきちんと聞き取って欲しい台詞は、重要な台詞である。だから、あまり間を置き過ぎると、芝居がくどくなりすぎる。大切なものが多すぎると、受け手はうんざりするのである。

大切な台詞だけをきちんと立てて他はすっと流す、その勘所が台詞術のツボである。

もちろん、そのツボは役者によって勘所が異なり、他の役者に教えられるようなものではない。

故・古今亭志ん朝さんが父親の志ん生さんの芸について、こう語っていたことがある。志ん朝さんも名人だが、志ん生さんは昭和の大名人といわれた落語家。

「おやじが小声でボソボソとしゃべるんです。客は、何を言っているんだろうと身を乗り出す。そのタイミングで、くすぐりをパッと入れる。すると客はどうっと受けるんです」

つまるところ、間のよさで客の笑いをとるのである。喋りの上手さは、間の上手さと言い換えてもよい。

私の実感でいえば、舞台上で役者がしゃべっている間は、観客の意識は舞台から押されている感じになる。逆に、役者が間をとっている時間は、観客は舞台に引き寄せられる感じになる。つまり、役者と観客は舞台と客席の間で、押し引きの綱引きを繰り返すことになる。

これが、舞台と客席の間の「交流」である。心地よい交流を観客にさせてくれる役者が、名優ということになろう。名優と一言でいっても、自在に心地よい台詞を発することができる役者など何万人に一人もいない。

台詞術の基本もあるにはあるが、やはりプロの場合は、持って生まれた才能の世界というほかない。

相手に想像させる

話芸の名人として有名な徳川夢声は、そのキャリアを無声映画の弁士からスタートしている。彼は他の弁士がいかに喋ろうかと努力しているときに、いかに黙るかを工夫したらしい。

弁士が黙るということは、間を置くということである。間が長すぎると客は焦《じ》れる。「タルい」という状態になる。逆に間が短か過ぎると、話が慌ただしくなってしまう。「バタバタした感じ」に聞こえてしまうのである。

言い換えれば、間は、観客が話に積極的に参加する時間である。話し手が触媒となって、自分の想像力を膨らます時間でもある。

間のないしゃべりと間のあるおしゃべりは、散文と韻文の違いである。散文は小説のように、読めば内容をすべて受け取ることができる。自分で創造力を膨らませなくても、内容がわかるように書くのが散文である。

ところが韻文は、受け手の想像力によっては、その内容さえ変わることもある。

「古池や　蛙飛びこむ　水の音」

第5話で紹介した有名な松尾芭蕉の俳句である。この俳句に接したとき、受け手は自分の想像力を働かさなければ、鑑賞することができない。古池の後に続く「や」は切れ字である。強意の助詞ということもできるが、われわれ演劇人の視点からみると、「間を開ける場所」でもある。

「古池や」といった後に、一間開ける。受け手は、古い静かな池を想像する。次に何が起こるんだろうと期待する。受け手は俳句に積極的に参加することになる。そして芭蕉は、池の中に飛び込む蛙を見せてくれる。蛙が飛び込んだ後の池には、ただ静かに波紋が広がっている。

「古池や」と切れ字がある場所で、芭蕉と受け手は交流する。そして句を読み終わったときに、芭蕉が提示した世界の広がりに共鳴し、感動を共有するのである。

話芸で言うところの間は、俳句の切れ字のようなものである。その瞬間を受け手に想像させ、そして次の台詞を言い終わったときに、感動を共有する。

間があることで、話し手と観客は一体になれるのである。

俳句の切れ字の場合は、受け手は自分の間で続きを読む。間の長さは、受け手の読解力や、その作品をどの程度深く味わいたいか、によって変わってくる。

切れ字と同じように、話芸の間は長過ぎても短か過ぎてもいけない。また、その日その日の客席の雰囲気によっても、適正な間の長さは変化する。お年寄りが多ければ、必然的に間はたっぷりとるようになる。若者が多い場合は短くなる傾向がある。若者は、反応時間が早いからである。

観客は交流したい

演劇のようなライブな表現活動をやっていると、受け手は完成品を欲しているのではなく、交流したいのだということがよくわかる。舞台と客席との間に距離があるにせよ、役者と同じ空間でつながっていたいと思うのである。

演劇とテレビの違いは、ライブ感である。テレビは一方的な伝達だが、演劇は双方向伝達である。だから、その日の観客によって、芝居が変わることがあるのだ。

ネット社会がどれだけ発達しようと、ライブの表現活動がなくなることはない。それは、観客が役者とつながりたい、交流したいと思い続けるに違いないからだ。

音楽も同様である。ＣＤがどれほど音の再現力を持っていても、ミュージシャンのライブがなくなることはない。ロックの世界に「クイ」という言葉がある。演奏の途中で、わざと無音の状態を作る。ミュージシャンたちはステージで、お互い気持ちを合わせる。そして、無音の間の後に、全員で呼吸を合わせて演奏を再開する。この起点を「クイ」という。曲の最後のほうで一瞬音を止めて、一斉にメンバーがジャンプして音を出して締める、という光景を見たことがあるのではないか。このクイがずれると、間が抜けてしまう。クイがきれいに決まると、曲全体が引き締まって聞こえる。

観客は、沈黙の間、クイのタイミングをミュージシャン同様、息を詰めてはかっている。ステージと客席が一つになる瞬間である。そしてミュージシャンと客の気持ちが一つになって、クイが決まると、「気持ちが揃った」と一体感に包まれるのである。

われわれ演劇人の間と、ロックバンドのクイは同じものである。

「読み聞かせ」のコツ

小学校の先生で千葉昌之という方が、「『間』のとり方の工夫」という題で、ホームページ上に文章を載せている（「すぐできる読み聞かせ・ゲーム・心の話」http://www5b.biglobe.ne.jp/~honyomi/）。彼は「読み聞かせ」のアイデアとして、「重要な部分の『前』『後』では、しばらく沈黙する」と書いている。

千葉さんは授業参観などで読み聞かせをする際、ついつい「早口」「棒読み」になってしまうという。

緊張しているために、早く重荷を降ろしてしまいたいという人間の心理が働くのである。こうなると適度な間のない退屈な読み聞かせになってしまう。

千葉さんは、間をあければよいのは、たとえば次のような場面だと書いている。

①主人公が開けてはいけないと言われたドアを開けてしまった
②登場人物に急に電話がかかってきた

①の場合、生徒は「次にどんな危険なことが起こるのだろう」と期待するのである。
②の場合は、電話内容に対する期待である。
いずれの場合も、受け手の想像力を喚起するための間である。
千葉さんは、読み聞かせには、二種類の間があるといっている。
ひとつは、二秒程度の通常の「間」である。

もうひとつは、五秒以上沈黙が続く「長い間」である。千葉さんはこれを「びっくり間」と呼んでいる。

五秒以上続く「びっくり間」を取ると、生徒はどんな反応をするのか——。実は、みんな同じ反応になるのである。まず、読み聞かせをしている千葉さんの顔を見る。次に生徒たちはこんな表情になる。「先生どうしたんだろう」「涙を流しているのかな」「くしゃみでもでるのかな」——。反応はさまざまだが、皆「あれっ」といった顔になる。つまり、話し手、あるいは話の内容に、気持ちを寄せてくるのである。

「びっくり間」は、話し手に集中していない生徒に対しても効果がある。例えば、他の本を読んでいたり、いたずら書きをしたりしている生徒がいる。そういう生徒がいるときに、「びっくり間」を開けると、生徒は顔を上げて、話し手の方を見る。

このように間には、相手を集中させるという効果もある。

私も、大学で授業をやる場合、学生が集中していないときなど、長い沈黙を作ることがある。すると、それまでおしゃべりをしていた学生たちも、「何か変だな」と雰囲気の異変を察する。教壇に目をやると、先生は黙っている。「これはまずいな」とおしゃべりをやめるのである。

千葉さんは、同じホームページ上で面白いことを言っている。

「担任や保護者、またはそれに代わる子どもに親しい人が読むならば、読む技術など特にいらない」

大好きなお母さんや、それに準ずる親しい人が読む場合、技術がなくても、子供は喜んで聞くというのである。

親しい人が、「読み方がうまい」「間の取り方がうまい」というわけではない。子供は、自分の好きな人の読み方、間の取り方に合わせて感情移入をしてくるのである。

つまるところ、「伝える技術」の最大の目的は、「好き・好かれる」の関係をつくることである。一方的な「間」では誰からも好かれない。間の悪い奴になってしまうのである。

マンガにおける間

マンガでも間は効果的な手法である。図21は、石ノ森章太郎の『龍神沼』という作品の幕切れ近くである。白い和服の少女は、沼に住む龍の化身である。欲に目のくらんだ

図21　石ノ森章太郎『龍神沼』（Ⓒ石森章太郎プロ）

人間に復讐をしようとする局面である。少女と主人公の少年は恋をしている。少女が欲に目がくらんだ人間に「死ね」というと、少年は「いけない」と止める。「きみが人を……殺すなんて。だめだ　やめて…やめてくれ」と続ける。

その後に、少女に沈黙がある。少女は、人間に復讐をするのだろうか——。自分が恋に落ちた少年の願いを聞くのだろうか——。

読者はこのシーンで、物語にのめり込むことになる。少女は、少年の言葉にはっとする。次に、うつむき加減になり、迷い始める。アップだった少女の顔が、ヒキに変わり、全身が描かれる。コマが小さいために、読者は、ページの小さい部分に集中するような神経の使い方になる。ここが「間」にあたる。そして次のコマが「決めカット」である。

少女は、人間に復讐することをやめ、龍となって天に帰っていく。この「決めカット」を、大きく見せたいために、その直前の沈黙のコマを、特に小さく使う。そのことによってコントラストが大きくなる。

間は、読者を感情移入させるだけでなく、「気持ちに揺らしをかける」緩急の変化にも使われるのである。

沈黙に耐える

札幌市立前田中央小学校のホームページ上の「学校だより　しらかば」（二四九号）に「沈黙に耐える…」という題で、ある先生が文章を寄せていた。

「沈黙」について考えるために、意味のある文章なので、少し長いが引用する。

書き手は、自分が子供のころ、先生に「自分の考えを発表してほしい」とよく通知表に書かれていた。母親は、書き手に向かって、「間違ったっていいんだよ」と励ますのが常だった。ところがその日は、言葉もなくただ黙っていた。

「私は、とても不安になりました。何か言ってくれると思っていたからです。『どうしたんだろう?』

何か言ってくれるだろうという思いで、私は母のそばから離れずにいましたが、やはり母は黙ったままでした。待っている間はとても長い時間に感じられました。『どうして何も言わないの?』とうとう、私は自分から口を開きました。黙っている母に教室での自分の様子や、なぜ発表できなかったのかなどを次から次へと説明していきました。そうしなければならないような気がしたのです。母は、私の話を頷きながらもやはり黙って聞いていました。でも、その目はとても嬉しそうでした。

この母と私との間の『沈黙』というものは、私を次の行動に移らせるきっかけとなりました。また、母は、その『沈黙』にじっと耐えることで、何かを得ることができました」

母親は、確かに沈黙に耐えたのだが、それで書き手と対決したのである。母親の対決する姿勢に、書き手は心を打たれたのである。

「間」はお互いの想像力をかきたてる働きを持つ。したがって、しゃべっているときよりも、お互いの精神的な負荷が高まると考えることもできる。「長い間」は対決にも使われるのである。

長い沈黙に耐え、相手が話し出すのをじっと待っている姿勢という点で、私はあるフリースクールのN先生を思い出す。

フリースクールに通う生徒は、一般の学校に拒否反応を示した人ばかりである。なかなか本心を打ち明けてくれない場合が多い。N先生は、実に根気よく、相手が自分から話し出すタイミングを待っていたものだ。時間に追われている現代人には、耐えられないほど長い時間である。それをじっと待つ。N先生の待っている姿勢には頭が下がる。

フリースクールの生徒は、N先生ほど、自分のために時間を使ってくれた先生とそれまで出会ったことがないはずだ。で、私はこう思った。自分のために膨大な時間を費やしてくれたN先生に、生徒たちは打ち解けていくのである、と。

沈黙している間、何らかの「情報」が伝わることはない。何も情報を伝えない時間が、「通じ合えるきっかけ」を作るのである。

より多くの情報を、より早く伝えることが現代社会では求められる。伝達の手段として考えるならば、沈黙は最も効率の悪い方法である。だが、その逆を行くN先生に、生徒は心を開く。

何も情報を伝えない、最も効率の悪い方法の中に、実は強い伝達力を持った要素が潜んでいるのだ。

ミヒャエル・エンデの小説『モモ』の主人公が街中の人気者になった理由は、彼女が「聞き上手」だったからだ。もしも「自分は一生懸命喋っているのに、どうも受けが悪い」と思っている方は、間が悪いのかもしれない。矢継ぎ早に喋りたい気持ちをぐっと押さえて一息つく。そんなふうにしてみてはいかがだろうか。

第8話　トイレの距離、恋愛の距離

心理的距離は八種類

私たちは相手との関係の深さを距離で表す習慣がある。付き合いを始めたいときには「お近づきになりたい」という。あまり会うことのない友人を「疎遠になった」と表現したりする。

実際、愛し合っているカップルは駅のホームであろうと、電車の中であろうと、相手と密着し、距離を「ゼロ」に縮めようと努力している。

相手との距離は「心理的距離」でもある。アメリカの文化人類学者エドワード・ホールは「八つの距離帯」という考え方を提案した。大きく「密接距離」「個体距離」「社会距離」「公衆距離」の四つに分けられ、それぞれを「内側」「外側」の二つに分けているので、都合八種類である（図22）。

「密接距離」（ゼロから四五センチ）は、極めて親しい者同士の距離。夫婦や恋人の距離である。触れようと思えば、相手に触れられる距離。「触れられてもいい」と意思表示をしている状態と考えてもよい。最近ブームのダンスは、恋人以外の異性とこの距離に入れる唯一の趣味である。最大の四五センチでも、お互いの口臭を受け入れる状態になる。

「個体距離」（四五から一二〇センチ）は、相手に触れるのに、どちらか一方が片手を伸ばせばいい距離から、双方が手を伸ばして届く距離の間である。「友人同士」の距離と考えたほうがよい。性的な関係がなくても入れる距離だから、異性・同性を問わない距離感である。ただし「親しい間柄」だけの距離なので、仕事上の付き合いでこの距離に割って入るのは難しい。

「社会距離」（一二〇から三六〇センチ）は、「仕事上の付き合い」の距離。一般的な応接椅子に深々と腰を掛けると、相手との距離は約三メートル。浅く腰掛けると、二メートル弱。「仕事上の距離」の基準は、暗黙の了解として出来上がっている。この距離は

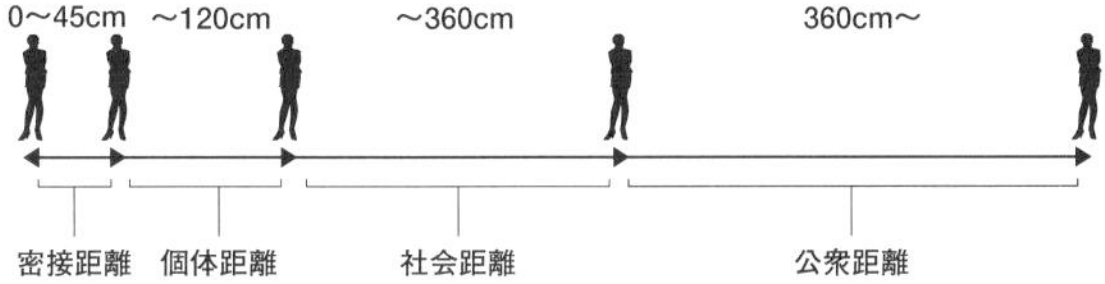

図22　八種類の距離

「形式的・儀礼的なやり取りをする距離」でもある。相手がいきなり短刀を抜いて襲い掛かっても、とっさに反応できる最低限の距離と言い換えてもよい。一二〇センチより近づいた場合、相手に切りつけられたら、どんなに反射神経がよくてもかわすことはできないだろう。

「公衆距離」（三六〇センチ以上）は、ほとんど無関係という距離である。個人的な関係はないといってよい。畳をタテに二枚分の距離といえば分かりやすい。そこまで離れれば、相手と面と向かって話しても、ストレスが生じるだけ。

演出家は、「役の距離」に合わせて、「役者の立ち位置」を決定していく。最初、「公衆距離」だった男女が、恋が結ばれる頃には「密接距離」になっていく。上手い役者は、その距離の取り方が自然のうちに選択できている。

同じ役でも、役者によって「相手との距離」が変わることも多い。例えば、身長や見栄えの違いによって「適正距離」は変わってくる。

先述の四つ以外の「微妙な心理的距離」もあるものだ。演出家は、役者に「相手役にストレスを感じない距離」を確認させることもある。

敵は真正面に座る

舞台を演出する時でも、役者間の物理的な距離は基本的に心理的な距離と考える。若い男と若い女がそばに座れば、「まんざらでもない関係」なのである。

敵対する二人は、テーブルを挟んで向かい合って座る。敵対する関係を「面と向かう」構図で観客にわからせるのである。ちなみに、麻雀マンガの敵どうしは殆ど向かい合って卓に付いている。気迫をぶつけ合う二人を、「絵」で見せようとするとき、敵どうしが斜め横を向き合っていたのでは様にならない。実際は、真向かいに座るよりも斜め前に座る確率のほうが倍である。しかし、ドラマでは真正面でなくてはならない。真正面はもちろん、最も離れている場所に座っていることにもなる。

同じ場面の稽古をしても、役者によって、相手役との適正距離が違う。身長差や年齢差、あるいは役者から発せられる「気」のようなものが総合的に絡み合って、「その関係にあった距離のとり方」が違ってくるのである。

私たちは、普段気にすることなく自分の適正距離を守っている。ところが、外国人と接する時など微妙な違いを感じる。欧米人は往々にして日本人よりも密着することを嫌わない。私の場合、閉所が苦手で、飛行機の中などでは無意識に人と離れたがる傾向がある。

人間には縄張り（自分のテリトリー）がある。だから狭い事務所で多くの人数が働いていると、ストレスで思った以上に疲れることがある。混んだデパートを歩いたりすると、これも疲労の原因になる。いずれも縄張りを侵されつづけているからだ。

ただし、大都会に住む人間は満員電車に適応せざるをえない。他人と肩と肩がくっついた状態で三十分以上立ったまま我慢できるようにならないと暮らしていけないのである。相手が異性でも構わない。というより仕方なく我慢しているのだが、それでも耐えている。

私もラッシュ時の混雑では、東急東横線とともにワースト路線といわれる小田急線を使っているが、基本的に耐えている。その間、何も考えずにじっとしている。まるで禅の修行のような状態である。恐らく、乗客は私も含めて皆悟っているのであろう。そうでなければ、四十年間も続けることはできない。

男子トイレの法則

心理学では、この縄張りのことをパーソナル・スペースと呼んでいる。人も、川魚の鮎同様に縄張りを持っており、自分の縄張りを侵されたくはないのだ。

男子トイレで便器が入り口に近いほうから、ＡＢＣＤＥの五つ並んでいるとする（図23）。このなかで一番好まれるのは、入り口から一番遠いＥである。最も使われないのが一番手前のＡ。それ以外は、ＢＣＤの順で使われる。これは、男性なら経験的に知っていることであるが、心理学では実験で確認されている。

Ｅは誰にも邪魔されずにゆっくりと用を足すことができる。仮に、後から四人が入ってきても、一番端なので片側は他人に圧迫されなくてすむ。だから、Ｅが空いていればそれを選ぶ。

ところがＡは他の人が出入りしたりするときに気になってしまう。落ち着いて用を足すことができない。何人もが後から後から入ってくれば、その人たちに気を取られて自分の用どころではなくなってしまうこともある。

で、わざわざＥまで行かなくても、という気分の時には、なるべく歩かなくてすむＢ

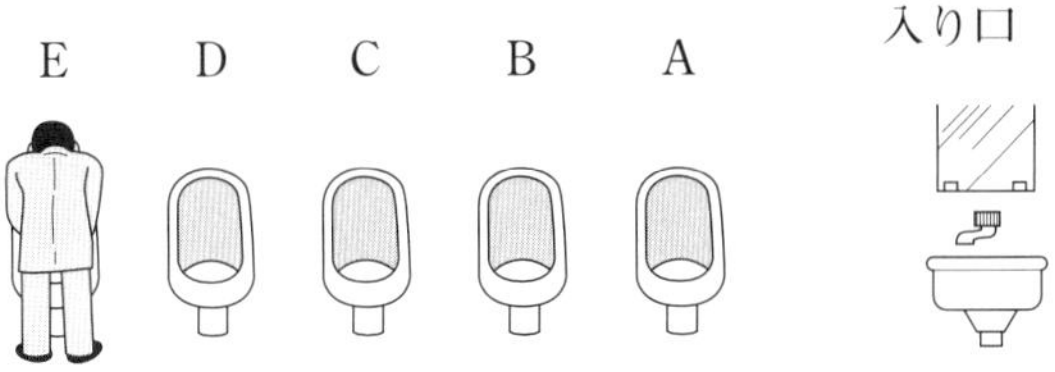

図23　どこで用を足すか（参考資料　渋谷昌三『人と人との快適距離』）

を選ぶのである。トイレ全体が自分のパーソナル・スペースとなり、その中心にいる感覚になれるからである。

心理学では古典的な実験の部類に入るが、隣に人がいる場合、一人分離れた場所にいる場合と、自分ひとりだけの場合とで排尿の所要時間が異なることがわかっている。隣に人がいる場合が一番排尿時間が短い。集中できないので、さっと終わってしまうのである。一人のときは、のびのびと排尿できるから時間が一番長い。

また、排尿の準備が終わって排尿が始まる時間までの調査も行われている。隣に人がいると、排尿が始まるまで時間がかかる。隣の人が気になるのである。自分ひとりだけだと早い。

私たちは、それだけパーソナル・スペースの影響を受けているのである。

ちなみに、私が子どもの頃、学校の男子用のトイレは仕切りがなかった。というより、男の子は一列に並んで、壁に小便をぶつけるのである。パーソナル・スペースなどない。それでも子どもの頃は、すぐ隣に見知らぬ人がいても気持ちよく放尿したように憶えている。大人になってからのほうが縄張り意識が強いのか、それともトイレだけは別なのだろうか。

リーダーの座席

舞台の演出では、図24のようなテーブルがある場合、リーダーの席は①というのが常道である。図では上座ということもあるが、仮に上座でなくても、ここにリーダーが座る方が、場面が落ち着く。①の場所で、その人物だけが立って他の人が座っていれば、より鮮明に立場が伝わる。

心理学的に見ると、図のような八人で会議をやれば、発言の頻度は①③⑤⑦の順になる。その順で支配欲求が強いと考えられるらしい。この辺りの感覚は、演出家なら勘でわかっている。③⑤⑦の場所に役の重い人を配するはずである。

逆に、その会議にあまり参加してこない人を⑥④⑧②に配する。これは一般の会議にもあてはまることである。リーダーから、一番遠い下座に着く時は気乗りのしない時で

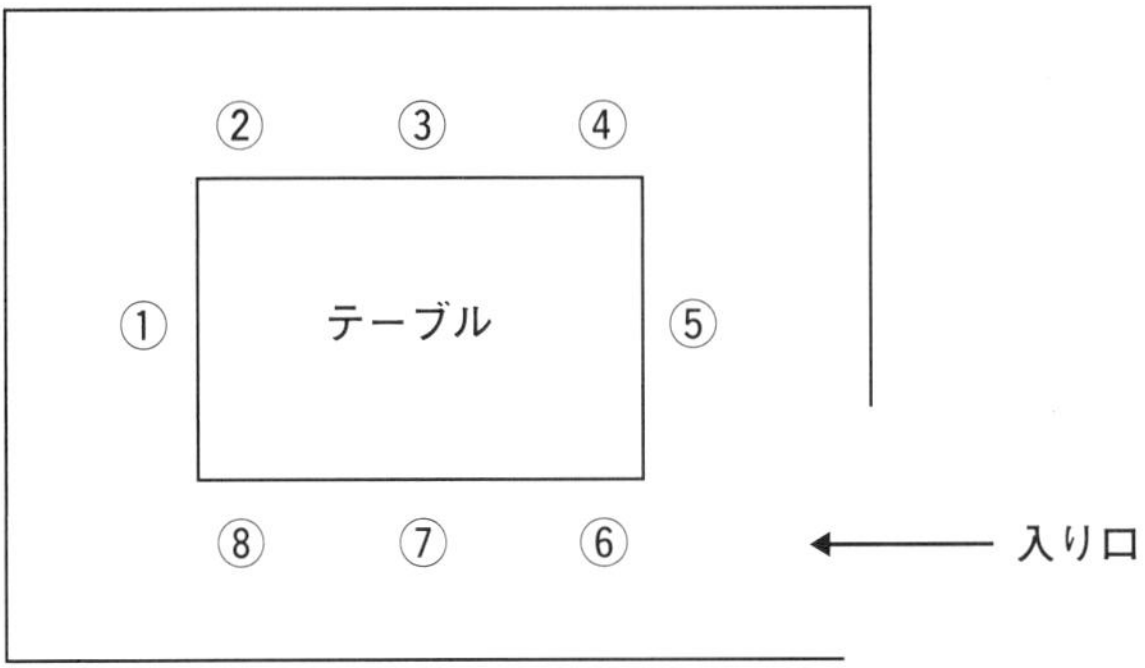

図24　会議の座席

ある（⑥）。そこが埋まっていれば、④。そこが駄目なら、リーダーの死角である⑧と②に座る。

八人で会議をしていても、実際に話している人は、①③⑤⑦の四人であることが多い。知らない人が多い宴会の場合、早めに会場に着いたりすると⑥に座る人が多いのではあるまいか。それだけで「私は控えめですよ」というメッセージになっている。

遠距離恋愛の法則

遠距離恋愛はドラマ、小説では定番の設定である。普通の恋愛よりも成就したときの感動が大きいからだ。その理由は明らかで、実際には失敗してしまう可能性の方が高いからである。

一組の男女が結婚する確率は、婚約者同士の距離が遠くなるほど減少する――。これはボッサードの法則といわれる（由来は、アメリカの心理学者ボッサードの調査結果によるものから）。

高校時代熱愛のカップルでも、大学が離れた場所にあると壊れるケースが多い。また、恋人が外国に留学して、続かなくなるカップルをたくさん見てきた。最近はメールなどがあるから、状況は少し変わりつつあるのだろうが、それでも男と女が実際に顔を合わせずに愛を育むのは難しい。

物理的な距離はやはり心理的な距離と無縁ではない。

逆に、いくら好き同士でもパーソナル・スペースのない同棲が二人を一層強く結びつけるかといえば、そうではない。若い頃は、好きな人とはできるだけ一緒にいたい。例えば、彼氏の住むワンルームマンションで一緒に暮らしても気にならない。しかし、いくら好きでも、もとは他人なのだ。自分一人の空間も必要だ。そうしないと恋愛感情とは別のところで、精神的に持たない。

私は、半同棲生活を始めようとする学生には「二間以上の部屋」を奨励している。パーソナル・スペースを確保せよ、と。

喧嘩した時には、人は相手の顔を見たくないものである。そんな時、相手の顔が見える状態ではストレスは募るばかり。

若い人が恋を成就させたいのなら、あまり離れてはならない。また、近づきすぎてもいけない。

第9話　舞台は人生だ

外見は人格さえも変える

舞台の演出というのは、本書のテーマであるノンバーバル・コミュニケーションを意図的に作り出す作業でもある。「私は悲しい」「あなたを信用していない」「彼のことが気になる」といったことを全て台詞で説明するようでは、その演劇は出来の良いものにはならない。本章では、舞台上におけるノンバーバル・コミュニケーションを思いつくままに挙げてみた。もちろん、それは現実生活と共通しているからこそ、観客にも伝わるのである。

長い間演劇に携わっていても、いまでも驚くのが「役者は何故これほど変わるのだろう」ということである。メイクや衣装で、見栄えだけでも相当違って見える。が、変わるのは外見ばかりではない。立ち居振る舞いから、極端な時には人格までも変わってしまったのだろうか、と驚くことがある。

一人の役者に医師の役を当てる。普段着で練習する時はそうでもないが、白衣を着せると途端に医師に見えてくる。役者だから、当然といえば当然だが、医師風の歩き方、所作、話し方に変わっていくのだ。同じ役者に、今度は兵士の役を当て、兵隊の衣装を着せる。すると、兵士の歩き方、喋り方になり、果ては思考方法まで兵士に変わっていく。

アメリカの心理学者フィリップ・ジンバルドがこんな実験を行っている。新聞で公募した二十四名を、無作為に「囚人役」と「看守役」に、半分に分ける。囚人役は、警官に逮捕された後、取調べを受けて囚人服を着せられ、監獄に入れられる。看守役は、制服を着て、警棒を下げ、囚人を監視する。どちらも、それらしく振る舞うよう指示されるわけではない。ところが、服を着せるだけで、本物らしい振る舞いになっていったのである。囚人は卑屈な態度を取り、看守は命令口調になる。

言葉遣いや行動が変われば、やがて思考方法も変わってくる。つまり、人は服装によって変わる可能性があるのである。

何かの拍子で普段制服を着ているデパートガールや看護婦の日常生活場面を見て、ぎょっとすることがある。ごく普通に会話していても何か違和感がある。彼女たちは普段は、仮面を被っているのだろうか、裏表があるのだろうかとつい思ってしまうのだ。確かに、仮面を被っている、と見ることもできる。だが、服装によって人格の一部が変わることは当然だと考えることができはしないか。

メイクにも似たような効果がある。役者は、舞台に出る前に念入りにメイクをする。自分以外の人間になりきることで、自信を持って演じることができるのだ。

私が思うに、役者でなくても厚化粧の女性は自信たっぷりに振る舞うことが多いように思う。テレビに登場する、一代で財を築いた女性社長にこの種の人が多い。それは、「自分以外の人間」になっているからである。厚化粧を落としたあとの彼女たちはどんな様子なのか。意外と別人のように可愛い（見た目の話ではない）女性になっているのではないか。

没個人になるということ

そんなわけで俳優に、警察官や軍人の衣装を着せると暴力的な行動をさせやすい。たとえ軍人の役でも、ジャージなどで稽古をしているときは、女優に手荒な真似ができないものだ。役の上でやらなければならないことはわかっているのだが、どこか手加減してしまう。ところが、本番が近づいてきて稽古場で軍服を着るようになると、「手荒な振り」が「本当に手荒」に変わってくる。本番が近づくから、役作りにも気が入るとも考えられるが、制服の影響はあると思われる。

制服を着るということは、没個人になることだ。匿名性が高くなると考えてもよい。反社会的な行動や攻撃的行動に対して、自己抑制が弱められるのだ。それは戦勝国の軍人が敗戦国民にどんな仕打ちをするかを見れば、容易に想像できる。没個人になり、なおかつ処罰さえなければ、人間はやりたい放題になるものである。

ジンバルドは、目の部分しか空けていない揃いのユニフォームを使って攻撃行動の実験をしている。実験の手順はこうである。被験者は他者に電気ショックを与える。被験者は二人いて、どちらがスイッチを入れたかわからないようになっている。他者にどのくらいの時間電気ショックを与えていいかは、本人に任されている。長く電気ショックを与えれば、その人はそれだけ攻撃性が高いと考えられる。

結果はユニフォームを着たときは、着ないときより長い間電気ショックを与えたのである。没個人になった方が、攻撃性が高められるからだ。アルカイーダなどのテロリストたちが目しか見せないユニフォームを着ているのはもちろん身分を悟られないためである。しかし、そのおかげで彼らはより残虐な行為を心理的に抵抗なくできるのである。

最近のインターネット上にある掲示板などを見ていると、ビックリするような書き込みがあることがある。自分が何者か悟られないと、ここまで人を悪く言えるのか、と呆れてしまう。

電話セールスの人にもひどい人がいる。彼らの多くも普段の生活では、そんな失礼なことは言わないと思うのだが、電話では、こちらに脈無しとわかると、なぜ見ず知らずの人にこんなことを言うのだろうかというほどの言葉をこちらにぶつけてくる。おそらくこれも言いたいことを言った後ガチャンと切れば、自分の電話番号も悟られないと安心しているのだろう。つまり目の部分だけ空けたユニフォームを着ているのと同じ心理なのだ。そんな電話を受けたあとは、しばらく仕事も手に付かないことがある。

恐怖を表現する

舞台で登場人物の恐怖心を一人の役者で表現するのは難しい。そわそわ落ち着かなくなって、窓とソファーの間を行ったりきたりするとか、寒気を憶えて両手で自分を抱きしめる格好になるとかいろいろと工夫はするのだが、あまり有効な表現ではない。

なぜ一人での恐怖の表現が難しいのか。それは人は恐怖心を持つと、一人でいるのが怖くなり、他の人と一緒にいたくなるものだからだ。とりわけ、親しい人と一緒にいるのがよい。親しい人に抱きついたりすれば、それだけで恐怖の表現になる。子供が母親に抱きついたりすれば、恐怖は膨らんでくる。特に、母親の胸に顔をうずめたりすれば、その恐怖はピークに達している印象になる。

場所としては、部屋の端っこに居たがる。部屋の真ん中にいては、自分の三百六十度に隙ができるからだ。端っこにいれば、自分の背中は壁で安心できるから、九十度に注意を向けていればよい。だから、真ん中にいるうちは、恐怖も低い。端っこで震え出すと、恐怖は高まってくる。

男優は一般的に恐怖の表現が下手である。恐怖という体験が少ないのだから仕方がない。私の場合は小心者だから、恐怖に敏感だ（とはいっても、演技に使えるようなものではない）。普通の俳優は、子供時代、深夜家の外にあるトイレに行く時などの経験に基づいて、役作りをすることになる。最近の若い俳優は、暗くて怖いトイレに行ったこともないだろうから、役作りが難しいのではないか。

一方、女優は恐怖の表現が上手い。暗い夜道などでの怖い経験が多いのだろう。また、女性の悲鳴は恐怖を醸すのにもってこいなので、演出家はそういったシーンで女性を使うのを常としている。

相性のつくり方

演劇で使うメソッド（方法論）に「何たる偶然」というゲームがある。このゲームは人間の相性を考えるのにとても役に立つ。

人間社会に「相性」の問題は付きまとう。「あの人とはなんとなくフィーリングが合う」ということになれば、仕事さえも上手くいった気になってくる。

劇作家が「相性のいい二人」を作る時、先ず二つの条件を考える。一つは「類似性」。もう一つは「相補性」である。

類似性に関しては、異論はないだろう。似たもの同士は気が合うものだ。趣味のサークルなどは、同好の士で集まるから、まとまりやすい。

類似性の材料はいくらでもある。性、年齢、出身地、出身校、体格、服の好み、職業、性格、血液型、星座、趣味、食べ物の好み、家庭環境、兄弟……。ありとあらゆるものが材料になる。

さて、「何たる偶然」とはどんなゲームか。二人の役者に対座してもらい、片方が相手に質問し、お互いの共通点を十個探すのである。で、共通点が見つかると、二人同時に「何たる偶然！」と叫ぶ。十個見つける頃には、二人の心理的距離は相当縮まっている。初対面の役者が、いつまでも他人行儀のままでは演技の練習にならない。その距離を埋めるためのメソッドである。大変そうだが、十個の共通点は数分で見つかる。このメソッドをやった後は、演技の稽古がやりやすくなる。

私は、介護福祉士を目指す学生が集まる福祉学科の授業でもこのメソッドを使っている。学生たちには、実習の現場ですぐに使える、と評判がよい。実は相性というものは、ある種の思い込みだったりするわけだから、このように意識的に共通点を見つけ出すことで、かなり好転するのである。職場の飲み会で、テレビや野球などの他愛もない話をする効用のひとつもここにある。互いの類似性を確認することで、相性をよくしているのだ。

もう一つの「相補性」は、「破《わ》れ鍋に綴じ蓋」の関係である。お互いの長所と短所が補完し合い、二人合わせて一人前という関係。性格が正反対で、喧嘩ばかりしているのだが、本当は仲がいいのではと人に思わせる二人である。

映画や演劇に「バディ物」と呼ばれるジャンルがある。性格や境遇の異なる二人が、何らかの理由で一緒に生活したり、旅をしたりする。最初は互いに憎み合い、反発しあう。しかし、やがて目標達成のために、心を通わせ、最後には理解し合い、ともに成長する物語である。このパターンの代表作としては、ダスティン・ホフマンとトム・クルーズが主演した映画『レインマン』やフェデリコ・フェリーニ監督の映画『道』、ニール・サイモン脚本の『おかしな二人』などがある。

物語を作る場合は、「せっかちとおっとり」「神経質とがさつ」という具合に、極端に対照的に役を作る。二人は喧嘩ばかりしているのだが、相手がいないと問題が解決しない局面を作るのが、物語作者の腕となる。

会社人事でも、社交的な人は営業、几帳面な人は総務や経理と大きく分かれているものだが、それぞれの意見は必ず対立すると相場は決まっている。そして、両方がいないと会社が成り立たないことも、お互い知っているのである。

暑いとき、人は興奮する

最後に、舞台や映画などで、重要な役割を果たしているが、意外と気づかれない要素をあげておこう。それは「温度」である。祭りや暴動のシーンは夏場で演出されることが多い。飛び散る汗や筋肉の盛り上がった裸が画面に躍動感を溢れさせる。興奮した人間の姿を視覚的に見せることができるのである。博多の山笠をはじめ、日本各地の勇壮な祭りは概ね夏に行われる。幕末に興った「ええじゃないか」も、夏場のイメージが強い。実際に、どの季節に行われたのか知らなくても、雪の中で「ええじゃないか」という絵面は事件と似つかわしくない。江戸時代の農民一揆も、夏の方が絵になる。

冬の雪が絵になるのは、「忠臣蔵」の討ち入りや「八甲田山」の行軍などである。冬の厳しさが彼らの精神にマッチするのである。赤穂浪士が実際に討ち入りをした日には、雪は降っていなかったらしい。しかし、芝居の世界では絶対に雪が必要になる。彼らも「行動」はしているが、躍動感のある絵面にはならない。

やはり、動きのある構図は夏とマッチする。祭りや暴動のシーンは暑い季節でないとしっくりこない。

この事情は人間の行動パターンに由来している。一九七〇年前後、アメリカの黒人街で、夏になると黒人暴動が頻発した。社会心理学者のバロンらが、夏の暑さと暴動の間に関係があるかどうかを調査している。一九六七年から一九七一年にアメリカで起きた暴動の数と気温を比較したところ、高い相関関係があることがわかった。気温二一度を超えると暴動の数は急に増え始め、二九度付近でピークに達する。三〇度を超えると減ってくるが、これは三〇度を超える日が少ないのだから、これ以上の気温のケースは比較の対象とはならない。

もちろん祭りや暴動には、社会的あるいは宗教的背景もある。しかし、エネルギーが爆発することと「暑さ」は無縁ではない。

第10話　行儀作法もメッセージ

マナーというノンバーバル行動

二〇〇四年はプロ野球界にとって激震の年であった。一リーグ制にするのか、新球団を認めるのか等々、さまざまなことが話題になった。そのなかで最も認知度をあげた人物は、ＩＴ関連企業ライブドアの青年社長、堀江貴文氏であった。その後、彼はさらにニッポン放送株買収で大きな話題を呼んだ。

新しいタイプの経営者に、新しい風を期待する人がいる一方で、彼への反感も相当なものであった。特に年配の球団関係者、経営者からの反感は強かったように思う。

そこには様々な要因があったのだろうが、実は反発の大きな要因のひとつは堀江氏があらゆる席をノーネクタイで通したことだったのではないだろうか。もちろん、堀江氏はそういう反発も計算済みで「自分は枠に囚われていない」というメッセージをあの服装に込めていたのだろう。だから若い人たちの彼への支持は絶大であった。

しかし、おそらく思っていた以上に経営者サイドからの嫌悪感は強かったのではないか。「ビジネスの場では、最低限必要な礼儀がネクタイなんだ。だから暑い中でも我慢しているんだ。こっちだってそんなものに意味はないのはわかっていても、我慢しているのにあいつは何だ」というのが古いタイプの人たちの考えだったのだと思う。

企業社会においてマナーを守るかどうかは大きな意味を持っている。それは外部の人には見当もつかないほどである。

私は勤めの経験が四年しかない。最初は会社勤めに付き物の、マナーという考え方があまり好きではなかった。基本的に仕事ができればそれでいいではないか、と考えていた。ところが、実際にはそれほど仕事ができるわけではないのである。つまり、マナーに従わないと都合が悪い立場だったのだ。

私の「マナー観」が変わったのは、あるマナー教育の専門家に出会ってからだ。マナーは計算されて作られている。何故そのマナーが生まれたのか、という説明を受けているといちいち頷かされる。きちんと考えて行動すれば、みんなそのマナーに行き着くのである。そのマナーに行き着かない人は、対人関係を考えていないのではないか、とさえ思えてきたのである。

いくつかの例で説明しよう。お客をエレベーターに案内する時は、「お先に失礼します」といって自分が先に乗り、「開」のボタンを押す。「どうぞ」と声をかけ、客をエレベーターに招き入れる。

以上がマナーである。こうしなさい、と強制されると億劫だな、という気がしてくる。だが、実に合理的な流れになっているのだ。

客と二人でエレベーターの前に立つ。エレベーターのドアが開く。どちらが先に入ったものか、一瞬躊躇することになる。その躊躇を「お先に失礼します」の一言で省くのである。時間に無駄がなくなる。自分が先に乗り、安全であることを相手に伝える。「開」のボタンを押していれば、相手がもたもたしていても、ドアが閉まることはないし、客とは逆向きになるので目を合わせやすい。そこで「どうぞ」と招じ入れれば、他にエレベーターに乗る人がいても、客は「次は自分なのだ」と思って中に入ることができる。他の人は、その客が乗るのを待つことになる。二人同時に乗ろうとして、肩と肩がぶつかることもない。躊躇も逡巡もないから、時間の無駄がない。加えて、過不足なくアイ・コンタクトをすることになるのである。つまり、客を大切な人間として遇しつつ、無駄を省いているといってもよい。もちろん、そこから後は、マナーに対する個人の考え方次第でいかようにも変化する。暖かさが増すこともあれば、事務的な対応の比重が高くなることもある。ただ、最低限礼を失することのないようになっている。これがマナーという思想なのだ、と思うのである。

つまり、マナーというものはノンバーバル・コミュニケーションを意識化したうえで、非常に洗練した形で練り上げた結果の産物だということになる。ごく原始的なものでいえば、机を間に置いて相手と話しているときに、足を机の上に放り出したら、いくら言葉が丁寧でも「無礼」と受け取られる。社会生活のさまざまな局面で、できるだけ相手に不快感をあたえず、かつスムーズに行動すること、それはすなわち相手への礼を尽くしているということになる。つまりマナーを守っているということは、相手に「あなたを尊重していますよ」というメッセージを発していることに他ならない。

応接室への案内

会社でよく使われるマナーのひとつ、応接室への案内誘導の場合、「押しドア」と「引きドア」で立ち位置が変わる。
「引きドア」の場合、①左開きの引きドアは、左手でノブを引く②ドアの左側に立って案内する③来客を先に通す④部屋の中に入ったあと、ドアに正対して、後ろ手にならないように閉める、という手順である。

案内のマニュアルを文章化すると以上のようになる。これを読むと、何故こんなことまで決められなければならないのか、という気がしてくる。だが、客とのコミュニケーションを考えれば、自然とこうなるのである。

①で、左手でノブを引くのも、客にアイ・コンタクトをしながら招じ入れるにはそれがベストである。客はそのドアが押しドアか引きドアかを知らないのである。案内役の立つ場所で、引きドアであることを察する。ドアに対して、どの場所に立つのがいいかを理解する。

②で、ドアの左側に立つのも根拠がある。客は、ドア越しに部屋の中を見ることができる。案内係が右側に立てば、客と応接室の中にいる人物との間に遮蔽物ができる。また、左手でノブを握っていれば、ドアが風などにより客の入る前に閉まってしまうとい

うこともない。
③で、客を先に通すことによってちゃんと客が部屋に入ったかを確認できる。また、忘れ物、落とし物のチェックもできる。
④のやり方で、音を立てずにドアを閉めることができる。
適度のアイ・コンタクトが入り、時間のロスもない流れができる。私は演劇人の一人としてマナーを考えた人の知恵に最敬礼するのである。

車の席順

応接室や会議室などの席順は、上座《かみざ》下座《しもざ》があるので理解しやすい。

車の中にも席順はある。私自身は、あまり気にしないが、軍隊出身の人たちと接して、それが思った以上に重要なことであることを知った。若い人は「偉い人たち」の集まりに行って、お世話をしなければならないことがある。私の若い頃、日本の「偉い人たち」は殆ど軍隊生活を経験していた。軍隊の時代の経験が彼らの精神を強く支配していることがある。

乗用車の席順は、図25である。事故が迫ったとき、運転手は反射的に自分を守ろうとする。だから、一番安全な席が運転手の後ろの①である。一番危険な席が④である。最も守らなければならない重要な人物の座る席は、必然的に①となる。軍隊ではこれは絶対で、車の中の席順は階級の順序でもある。

それを知らないで軍隊出身者と付き合うと、失礼に当たる。車の席順は「守るべき命の順序」なのである。

同じ車でも、オーナードライバーの場合は少し異なる。その場合は、オーナーに近い場所④がより上座ということになる。この時は、危険であるか否かより、親密さの方が優先される。

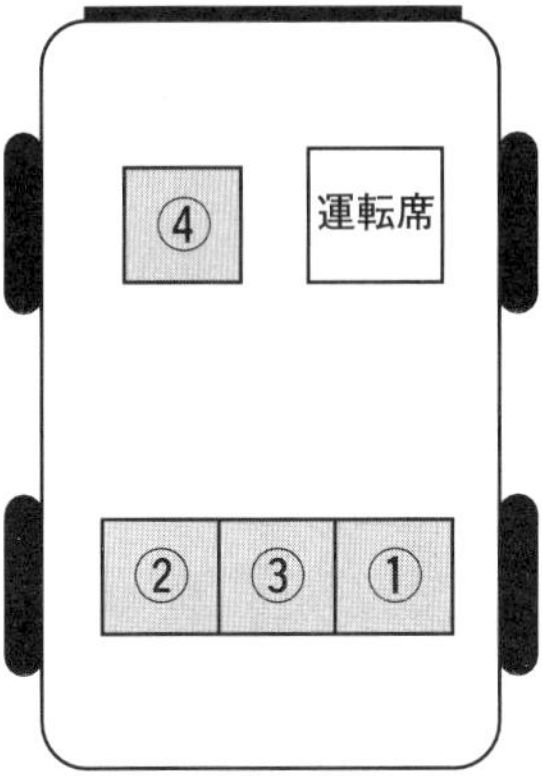

図25　車の席順

普通の車の場合、後部座席の真ん中は最も座り心地が悪い。床の中央が盛り上がっており、足の置き場に困るからだ。それでも安全性、親密さなどを考え合わせれば、その席順が妥当といえるだろう。

そこまでこだわることはないではないか、という意見もあるだろう。これらは余裕のなせる部分である。大事な仕事をほったらかしてこんなことができても意味はない。しかし、仕事がきちんとできていて、そこまで配慮の行き届く会社には底力があるということだ。マナーはあくまでも〝文化度〟である。経済の豊かさの後にくる。逆に言えば、マナーがなっていない人（会社）にはどこか余裕がないということになる。自分の若い頃を振り返っても、そう思う。

第11話　顔色をうかがおう

表情の研究

表情は日常生活でも演技でも最も大切な要素である。ところが、人間の細かい感情表現は写真や文章では伝えにくい。そこでここではマンガの技法を使って表情について語ることにする。マンガはデフォルメして表現するので、私が考える「表情の特徴」が伝わりやすいのである。

マンガ家は「キャラクターを立てる」という作業をしなくてはならない。それぞれの登場人物に個性をあたえ、さらに生き生きとさせなければならないのだ。とりわけ主人公は読者が感情移入できる人物でなくてはならない。マンガの成否は、主人公の感情表現が決め手になるといっても過言ではないのである。

ここで行うのは人間の表情そのものというより、マンガ家がどう表現しているかによって、表情に迫る試みといっていいかもしれない。マンガの表現技法は、人々（主に日本人）の共通認識が、前提になっている。つまり、私たちが表情から何を読み取っているのかを知るのに格好の材料なのである。

マンガにおける感情の基本的な表現を整理してみよう（図26）。人間の表情の特徴と言い換えてもよい。
①何もなければ、この表情になる。通常人間の顔は非対称である。マンガの場合は、非対称に描いてはおかしい。バランスのよい顔が、基本的には読者に好まれる。ゆがんだ顔は悪役であることが多い。
②笑うと、この輪郭になる。目と眉毛のラインは柔らかく下がる。目尻が下がる表現である。下まぶたは少し押し上げられる。笑うから口は大きく開く。頬の筋肉に引っ張り上げられて唇の両端は上がる。輪郭だけで笑っていることがわかる。
③怒りの表情。眉間にしわが寄る。だから眉間自体は狭くなる。目尻と眉毛はきつく上がる。口は叫んでいるように、四角く開いている。大きく開いた方が怒りが大きく見

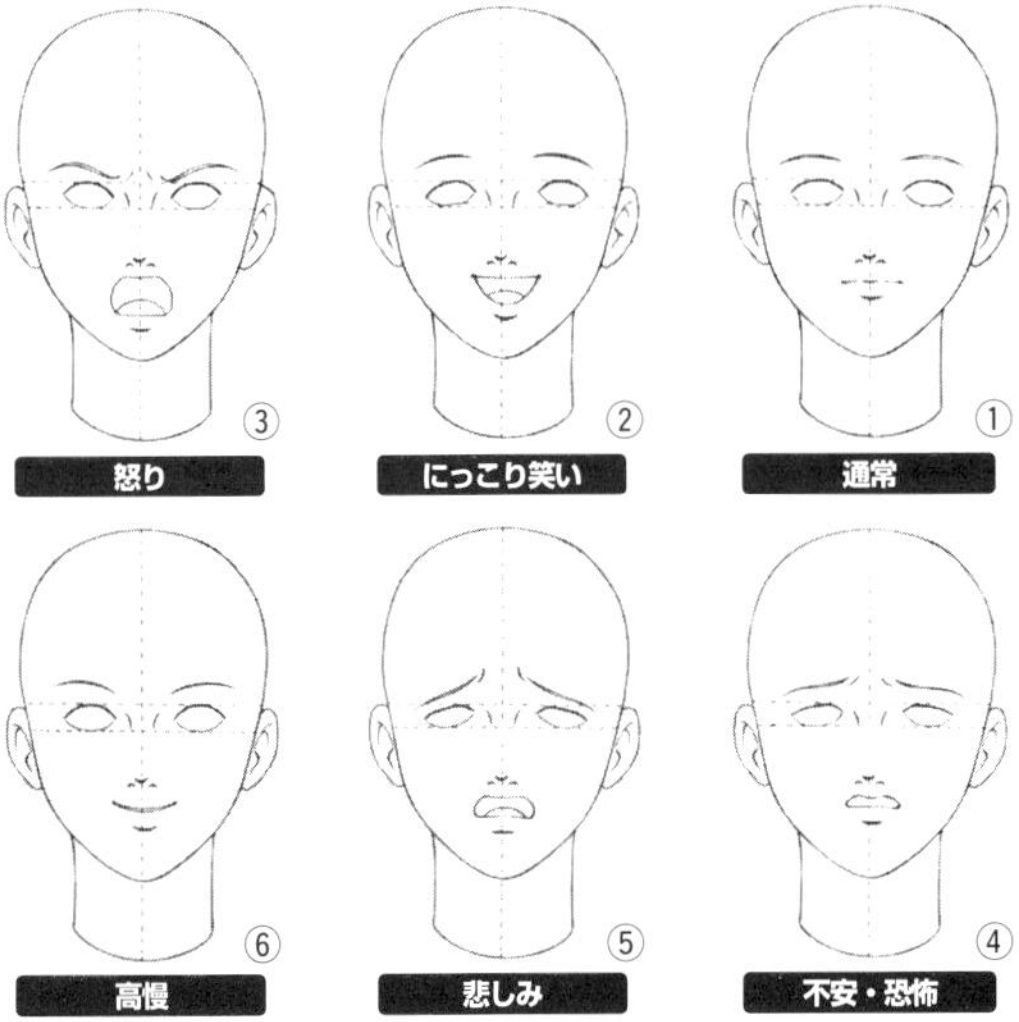

図26　6種類の表情（尾澤直志『キャラデザの壺②』グラフィック社より）

える。笑いとは口の両端の向きが、上下で逆になる。

④不安や恐怖の表情。眉間のしわは深くなる。目尻や眉毛は下がってくる。口の形に特徴が出る。少し開けて、両端を下げ気味にすると、ネガティブな雰囲気が漂う。

⑤悲しみの表情。眉毛と目の下がり具合が、不安や恐怖より角度が付く。目だけでメソメソして見える。上唇の中央部が少し引っ込んでいる。ここが引っ込んでいると、表情が暗くなる。

⑥高慢の表情。いやな奴の顔である。自信に満ちていなくてはならな

いから、眉毛は一度上がる。それだけでは自信しか表現しないので、端の方では端正に下がってくる。目尻も①より少し上がってくる。唇が少し開き、両端をきつく上げることで性格が出る。口の両端が上がるのは、笑いと似ている。やはり自信につながるポジティブな感情は、唇の両端を上げて表現することになる。ただし口自体の形が異なってくる。唇の薄さは、冷たい印象を与えやすいようだ。

それぞれの輪郭に目が入ると、図27の⑦⑧⑨⑩⑪⑫のようになる。それぞれの感情がより伝わってくる。目が表情の基本であることがわかる。

心理学者アンダーソンは、「好かれる特性」と「嫌われる特性」を調査している。特性とは性格特性のことである。五百五十五の性格を表す単語を大学生に示して、「好ましい」か「好ましくない」かについて判断させている。

上位十位と下位十位を紹介する。

上位十位は次の順。「誠実な」「正直な」「理解のある」「忠実な」「信用できる」「当てにできる」「知的な」「頼りになる」「心の広い」「思慮深い」。つまり「素直」「誠実そう」というのは、人に好かれる重要な要素なのである。マンガ家はそれを嗅覚で知っている。

一方、下位十位は以下の通り。「うそつき」「イカサマ師」「下品な」「残虐な」「正直

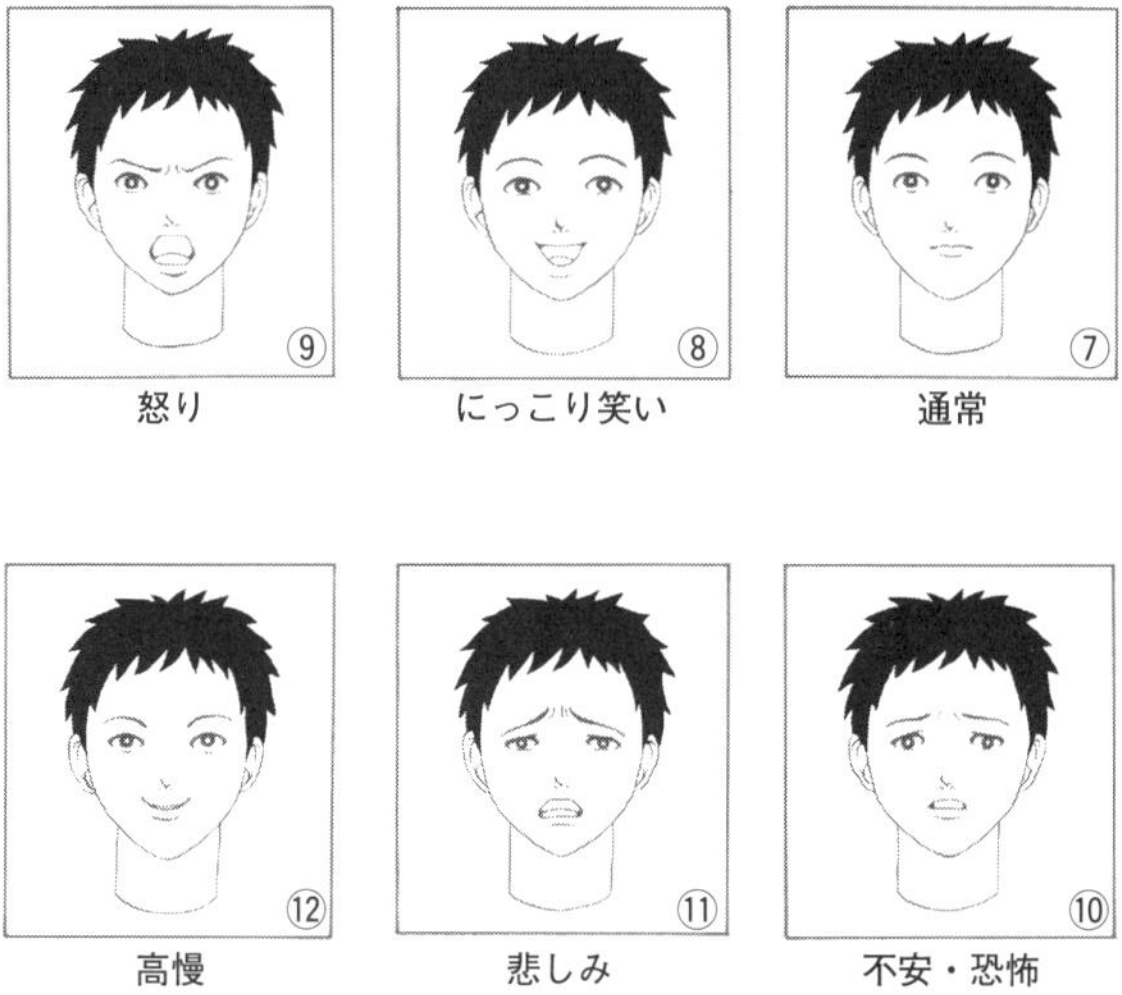

図27　6種類の表情に目鼻をつけてみる（画・上原由香理）

でない」「信用できない」「不快な」「意地悪な」「卑劣な」「だます」。悪役の特性ばかりである。表情がこれらの印象を左右する大きな要素であるのは誰にも異論のないところだろう。しかし、いざ「卑劣な表情」とはどんなものか、と問われると言葉では表現しづらい。マンガはそのへんの細かいところを実にうまく表現していると思う。

ちなみに、日本のストーリーマンガでは、基本的に唇は描かれない。唇を描くと、とたんに「生っぽく」なって現実に引き戻されてしまうのである。マンガの世界では、唇は現実と虚構の境界線なのである。

笑いの伝えるもの

ここで注意すべきは、現実の感情表現は当然のことながら、もう少し複雑なものだ、という点である。喜怒哀楽は、人間の感情表出の四大要素といってもよい。喜びの反対語は悲しみである。嬉しいとき人は笑い、悲しいとき人は泣く。一般論はそうであるけれども、それだけでは片付かないということも、ある程度大人になればわかってくる。

たとえばわかりやすい例としては、オリンピックで優勝するような大きな喜びに包まれたとき、人は泣く。それまでの苦労を思い出して、万感胸に迫るから泣くとも考えられるが「嬉し泣き」はあると考えていいだろう。

その逆に悲しみに打ちひしがれたときに「笑う」、つまり「悲しみ笑い」とでも呼ぶべき笑いというのはさほど一般的ではない。しかし、実際にはそういうこともある。極端に絶望的な局面で、「もう笑うほかない」と主人公が言う場面を私は舞台で演出したことがある。

このように「泣く」と「笑う」にはその裏にある感情に逆転現象が隠されていること

もある。

辛いことが多い人生を生きている人は、笑いを求める傾向がある、と私は考えている。地方の大衆演劇などの観客席で、貧しく生きたと思しい老人をよく見かける。現実が辛いと、現実を忘れるための笑いが必要なのだと思う。

また、芸人さんたちにこんな話を聞いたことがある。刑務所の慰問に行くと、面白くないネタでも受ける。刑務所で受けたからといって、寄席で同じことをやると、ひどい目に遭う、と。刑務所の中の人たちは、笑いに飢えているのである。というより、笑いが必要なのだ。だから、それほど面白くないネタでも笑うのである。

一方、「泣く」行為は本能的なものであるように思う。赤ん坊は、泣きながら生まれてくる。何故泣くのか、私に理由はわからない。「悲しみ」という感情とは無縁のことだろう。だが、精一杯、あるいは限界の状態を表しているのだろう、とは思う。

私は、フィリピンでお祭りのためのご馳走にするために、豚を始末する現場に立ち会ったことがある。四肢を縛るときに、豚が抵抗するのは理解できる。その後、しばらく横にしていたのだが、その時は大人しくなった。が、実際に頸動脈を切る時には、豚は抵抗したというより、悲しみに近い叫び方をした。少なくとも私にはそう聞こえた。「悲しい」という感情を持つかどうかはわからないが、「拒否」の意が強く打ち出されると「泣く」に近い表現になるように思う。そういう理由で、私は「泣く」は動物の本能に近い行為なのではないか、と思っている。

ところで「笑い」はどうか。『人はなぜ笑うのか』（志水彰ほか著、講談社）によると、今のところ、笑いの存在が確実なのは、霊長類であるサルやチンパンジー、人においてのみであるらしい。猫好きは「猫は笑う」というし、犬好きは「犬は笑う」といって譲らない。確かに、笑うべきタイミングで、笑っているとしか思えない表情をすることがある。しかし、本当のところは、まだわかっていないようだ。

動物学者ファン・フーフは、ニホンザルやアカゲザルが含まれるマカク属の笑いについて詳しく研究している。フーフによると、劣位のサルは優位のサルに対して、敵意の無いことを示すために、笑う。「あなたには抵抗しませんよ」という態度を笑いで示すのである。更に、インドネシアのスラウェシ島に住むマカク属は、優位のサルが劣位のサルに笑うことがわかった。挨拶にあたる「親和の表情」をするのである。

マカク属よりもう少し高等なチンパンジーは、対等のもの同士も笑う。これは「社交上の笑い」である。そう考えると、笑いはコミュニケーションの潤滑油であることは疑い得ないようだ。つまり、重要な伝達装置ということになる。

では、笑いは本能なのか、本能ではないのか——。私は、本能的な笑いと学習によって習得する笑いの二種類があるように思う。

新生児は、生後すぐには表情がない。生後二週間経つと、目の周囲の筋肉が発達するので、表情が出てくる。生後二週間では、大人の表情を見て学習するとは思えないので、表情は本能なのである。

一卵性双生児は微笑みの出現の時期が一致する。盲目で生まれた人も「微笑み」や「すすり泣き」はする。表情は、遺伝的に受け継がれたものなのである。

ところが、生後三〜四ヶ月経つと、他人の表情を学習することがわかっている。とりわけ赤ん坊は母親の表情を学ぶ。母親の笑顔に反応して笑うのだから、当然母親の表情に似てくる。この場合は、後天的な笑いである。

私たちは接触の多い人の表情に影響されている。笑いの多い人に接すると、笑顔が多くなるものである。大企業の社内を歩くと「その会社の顔」に気付かされることが多い。類型があるのだ。もちろん、夫婦の顔も似てくる。老夫婦の顔を並べて見ると、最初から同じ顔の者同士が結婚したのではないかと思えるときがある。

微笑みの持つ重層構造

学習によって習得された笑いは基本的に「親和行動」である。「あなたに敵意はありませんよ」あるいは「親しくしましょう」というメッセージである。

ということは、「近づきたい相手に笑う」という行動にも使われる。セールスマンは基本的に微笑みを絶やさない。客に好意があるから微笑むのではない。相手に好意を持ってもらうために微笑むのである。つまり、相手に好意があろうとなかろうと、セールスマンは微笑む訓練をしているのである。そして、訓練で人は微笑むことができるようになる。とりわけ、キャッチ・セールスのように、強く相手を惹きつけたい場合は、微笑みも巧妙になってくる。

こうなってくると、微笑みは二重三重の意味を持ってくる。人は相手を騙そうとしているとき笑う。ということは、人は微笑みかけられたとき、「好かれているのか」「騙されつつあるのか」の吟味が必要になってくるのである。

また、しつこい相手に「もういい加減に切り上げたい」とメッセージを伝えるときにも、微笑むことがある。この微笑みも好意ではない。むしろ不快感の表明である。しいて言うなら、「言葉を荒げたくないからこの空疎な笑いで理解してくれないか」と伝えているのだ。最低限の「親和作用」がないとはいえないが、この微笑みが伝えるものは「拒否」以外のものではない。

微笑みは、好意と非好意の二種類の意味を持つ。そして「営業上の微笑み」を、恋愛などと誤解したりして、悲劇が生まれたりもするのである。

男女の顔の違い

男か女か判らない顔がある。ユニセックスと呼ばれる顔で、最近はそういう人が増えているように思う。男の女化、女の男化現象といってもいいかもしれない。それでも、私たちは普段、顔を見て瞬時に相手の性別を判断するし、そう間違うこともない。私たちはどこを見ているのだろうか。

図28を見ていただきたい。上下とも左が男で、右が女である。一見似たように見える顔――。だが、マンガ家は男と女の顔は描き分けているのである。

男と女は、先ず線のタッチが違う。男の顔は「直線」の組み合わせでできている。女の顔は「曲線」なのである。男の顔はごつごつしている。女の顔は柔らかいのである。

図28　男女の差は微妙（菅野博士／唐沢よしこ『快描教室』美術出版社より）

目や眉の間隔も少し異なる。男の方が少し狭い。理由は、表情の項で説明した通り。

エラは男の方が張っている。女はすっきりと描かれる。

髪の硬さ。男の髪は硬そうに描かれる。女の髪は柔らかく描かれる。

首の太さ。男の首は太く、女の首は細い。これも、骨格の特徴である。

あくまでマンガの描き方で、現実にはこれよりもはるかに多くの要素から判断しているのだろうが、男と女の特徴をよく捉えていると思われる。

ここでは、睫毛が省かれているが、女の顔に長い睫毛を入れると、その特徴はより鮮明になる。マンガの描き方は、「実際にそうである」ことより「そう見える」ことが大事だ。マンガ家は、その特徴を捉えることに秀でている。

加齢の特徴

性別と同様、年齢も我々は瞬時に判断している。これを間違う人は、往々にして気まずい思いをすることになる。シワの有無や、毛髪の多寡のみで判断するようでは話にならない。マンガ家はもう少し複雑な要素で描きわけている。

マンガの世界では、若さは美しいものである。最近は青年・成年マンガも多数見られるが、基本的にはマンガは「子供の文化」「若者の文化」である。また、マンガ家の多くは若いし、自分が子どもの頃から読んできたマンガに憧れを持っている。それらは、基本的に少年マンガや少女マンガである。若さを美しいと見立て、老いを醜く見立てる雰囲気はある。

思い切って、もっと乱暴に言ってしまえば、おおむね男も女も若い方が美しいといってよい。生命力が張った美しさがある。内面の美しさは、精神性の問題を孕むのでここでは論じ難い。

若者の顔に対しての「親父顔《オヤジ》」の特徴は次のようになる。脂っぽい。肌が汚い。シミがある。下品である。むくんでいる。肌がたるんでいる。シワがある。白髪がある。毛が薄い。顔が大きい。……全体的にいいイメージではない。だが、これが加齢の特徴である。図29の左の絵を、歳をとらせると右の絵になる。学生時代は、左のような顔だったのが、三十年経って同窓会をやってみると、みんな右のような顔になり、父親そっくりと呼ばれるのである。

その特徴は、次のようになる。顔が全体にごつごつしてくる。ここは女の顔と男の顔の違いと似ている。若い頃は、顔の形が滑らかなのである。また、余分な

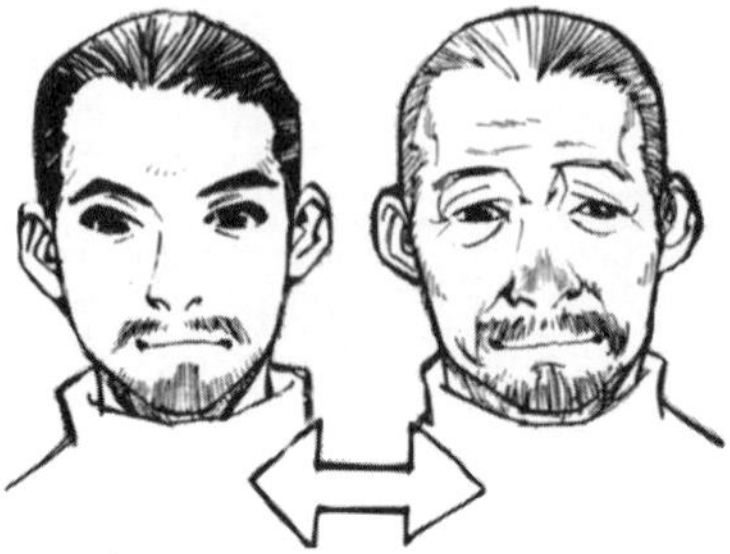

図29　加齢による変化
（菅野博士／唐沢よしこ『快描教室』美術出版社より）

肉が付いてくるので、顔が大きくなる。引力の法則にしたがって、肉が垂れてくる。各パーツが全体的に下がってくる。そして、緩んでくる。垂れるのとは違う。「垂れる」は下に伸びてくることだが、「緩む」は外に引っ張られる。余分な肉の影響もあるが、全体的に締まりのない顔になってくるのである。

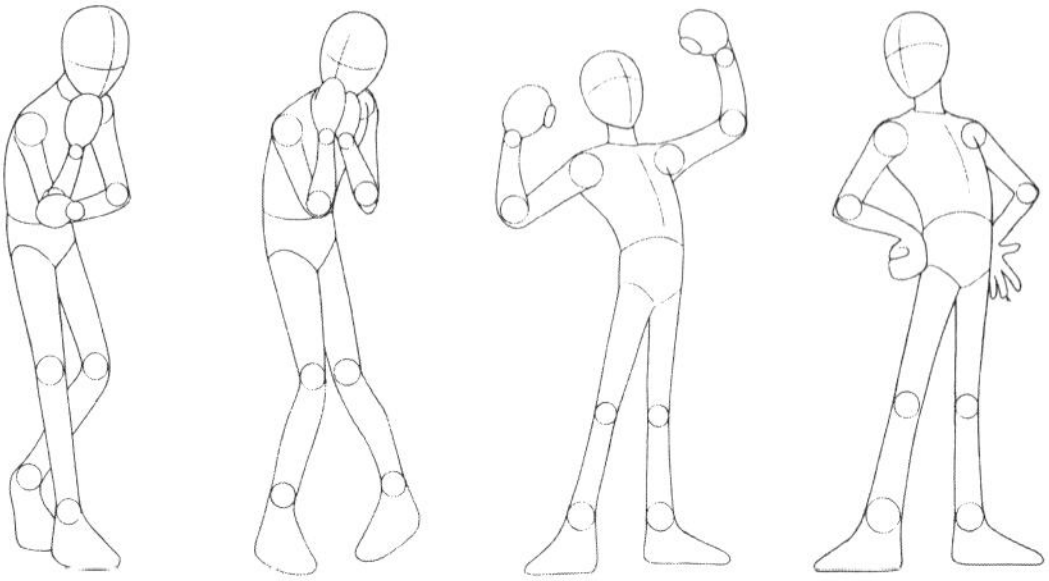

図30　ポーズが印象を変える（尾澤直志『キャラデザの壺②』グラフィック社より）

ポーズが伝える感情

表情はカメラの角度に大いに影響される。山田洋次監督が倍賞千恵子さんを初めて撮るときに、カメラの前に立たせて、色んな角度から見て、アングルを決めるまでに周りが呆れるほどの時間を費やしたという話を私は、松竹の女優さんに聞いたことがある。姿勢が表情に与える影響は極めて大きい。

「伝達」という考え方からすると、姿勢は内なる感情を表す手段となりえる（図30）。「ポジティブ」と「ネガティブ」もわかりやすい分け方である。やはり、姿勢はそういうメッセージを伝達するのである。

最近は姿勢のことをうるさく躾ける親が減ってきたようだ。「姿勢がよい」と「姿勢が悪い」の違いを、合理的・科学的に説明する根拠がないからだろう。また、あまり姿勢のことをいうと、色んな体型で生まれてくる人がいるので、人権問題にも発展しかねない。敬遠したくなる問題ではある。

「姿勢が悪いことのなにがいけないの？」と問われて、親も教育者も返答ができない。犯罪でもなく、人に迷惑をかけているわけでもない。学校教育の評価に基準があるわけでもないから、学校を卒業するまでは、どんなに姿勢が悪くても、実感できるデメリットはないわけである。

しかし、たとえば就職試験の面接には影響してくる。他の会社は知らないが、私はアルバイトや社員を雇用するとき、姿勢は重視する。恐らく、筆記試験も含めて採用までにコストをかける大企業も同様ではないだろうか。面接官も特に身体に問題がないのに姿勢の悪い若者は敬遠すると思われる。

考えていただければすぐにわかるが、猫背のウェイターと背筋の伸びたウェイターとどちらに給仕してもらいたいか、答えは明らかである。本書で繰り返し述べているように、「七％」の部分が重要だと思っていれば、問題は料理なのだから、姿勢はどうでもいいということになる。が、実際にはウェイターの姿勢からもメッセージを受け取っているのである。

あとがき

私が演劇やマンガを仕事にしているのは基本的に大雑把な性格だからである。一場面を創るにも要素が多岐に亘っているから、パートパートは信頼できる専門家に任せて、「勘所でやっておいてください」や「大筋こんな流れで」で済ませてしまう。一つ一つを細かく決めていったのでは、現場はいくら時間があっても足りなくなる（そうはいってても、こだわるところは譲らないが）。

文学好きの人が、「この作家はここで何故この言葉を選んだのか――」などとこだわると、「そんなに難しく考えて書いてないかも知れないですよ」とハスに構えたくなる。

私は、言葉の呪縛から解き放たれて、もっと総合的にコミュニケーションを考えてみてもいいのではないか、と思うのである。

あれも伝達、これもメッセージになっている、と一つ一つ記したが、あんまり細かく考えると息が詰まってしまう。

むしろ、もっと大摑みに捉えませんか、と提案したい気持ちなのである。

随分、多くのテーマを扱った本になった。

私たちは、知らず知らずの内にノンバーバル・コミュニケーションを使っている。例えば、麻雀を一緒にやると、その人の人柄が滲み出てくるといわれる。お互い、所作や雰囲気で「大きな手が出来ているな」とか「勝負を降りたな」などと察し合うのである。実際、言葉以外の部分で交流できると、「深く関われた」と思えてくる。「深く関わる」ことの代表選手は恋愛である。恋愛の中で言葉の占める重さは何%程度であろうか。恐らく、ビジネス・シーンよりその比率は下がるだろう。ノンバーバル・コミュニケーション力が高いと、たとえ仕事はできなくても、人生を豊かなものにできるのではないか。

書物による知識も大事だが、同じように、巷を見渡すことで習得していく知恵も無視できない。言葉以外の要素がこんなに多くの情報を伝達しているのか、と感じていただけたら、取りあえず私の思いは伝わったことになる。

編集の後藤裕二さんには、大変お世話になった。記してお礼を申し上げます。

著者

●主要な参考文献

・足立博『「におい」の心理学』（弘文堂）・石ノ森章太郎『石ノ森章太郎のマンガ家入門』（秋田書店）・伊東孝『「色」の不思議』（雄鶏社）・マジョリー・F・ヴァーガス『非言語コミュニケーション』（新潮選書）・江藤かをる『ベーシック・ビジネスルール』（オーエス出版社）・岡林みどり『化粧から見た美の変遷』（「情報メディア」一九九一年九月（情報処理学会）所収）・尾澤直志『キャラデザの壺②』（グラフィック社）・金山宣夫『世界20ヵ国ノンバーバル事典』（研究社出版）・金子修也『パッケージ・デザイン』（鹿島出版会）・川西幹生『マンガ上達塾』（グラフィック社）・菅野博士／唐沢よしこ『快描教室』（美術出版社）・「月刊言語」95・11別冊『変容する日本の方言』（大修館書店）・言語表現研究会編『コミュニケーションのためのことば学』（ミネルヴァ書房）・齊藤勇『人間関係の分解図』（誠信書房）・齊藤勇編『対人心理学トピックス100』（誠信書房）・渋谷昌三『人と人との快適距離』（NHKブックス）・渋谷昌三『しぐさ・ふるまいでわかる相手の心理』（日本実業出版社）・志水彰ほか『人はなぜ笑うのか』（講談社）・末永蒼生『色彩心理の世界』（PHP研究所）・竹内一郎『ノン・バーバル・コミュニケーション研究〈1〉―「顔の形」が伝える情報―』（九州大谷研究紀要第24号）・内藤誼人『絶対相手にYESと言わせる心理作戦』（オーエス出版社）・芳賀綏『日本語の社会心理』（人間の科学社）・芳賀綏『日本人の表現心理』（中公叢書）・村山貞也『人はなぜ色にこだわるか』（KKベストセラーズ）・デズモンド・モリス『マンウォッチング』（小学館ライブラリー）・デズモンド・モリス『ボディウォッチング』（小学館ライブラリー）・デズモンド・モリスほか『ジェスチュア』（角川選書）・八岩まどか『匂いの力』（青弓社）

竹内一郎　1956(昭和31)年福岡県生まれ。横浜国大卒。博士（比較社会文化、九大)。著述業。『戯曲　星に願いを』で、文化庁舞台芸術創作奨励賞佳作、『哲也　雀聖と呼ばれた男』で講談社漫画賞を受賞。

Ⓢ新潮新書

137

人《ひと》は見《み》た目《め》が9割《わり》

著　者　竹内一郎《たけうちいちろう》

2005年10月20日　発行
2006年3月5日　19刷

発行者　佐藤隆信

発行所　株式会社新潮社

〒162-8711　東京都新宿区矢来町71番地
編集部(03)3266-5430　読者係(03)3266-5111
http://www.shinchosha.co.jp

組　版　株式会社ゾーン

印刷所　株式会社光邦

製本所　株式会社植木製本所

ISBN4-10-610137-8 C0211

価格はカバーに表示してあります。